ROZWÓDKI
KONSTANCINA

EWELINA ŚLOTAŁA

ROZWÓDKI KONSTANCINA

Prószyński i S-ka

Copyright © Ewelina Ślotała, 2024

Projekt okładki
Paweł Panczakiewicz

Zdjęcia na okładce
Andrzej Wiktor

Redaktor prowadzący
Michał Nalewski

Redakcja
Anna Płaskoń-Sokołowska

Korekta
Grażyna Nawrocka
Sylwia Kozak-Śmiech

Łamanie
Prószyński Media

ISBN 978-83-8352-224-1

Warszawa 2024

Wydawca
Prószyński Media Sp. z o.o.
02-697 Warszawa, ul. Rzymowskiego 28
www.proszynski.pl

Druk i oprawa
Alkor

PROLOG

Znasz starą buddyjską bajkę o żabach? Nie? To usiądź wygodnie i posłuchaj.

Było sobie stado żab. Wśród nich piękne, imponujące okazy, urodzeni przywódcy, ewidentni czempioni, ale też, jak to w życiu bywa, mniej spektakularne egzemplarze, brzydsze koleżanki królowej balu, chorowici okularnicy i ci, co przez cały mecz grzeją ławkę rezerwowych. Stado dostało do wykonania zadanie – przejść bardzo wymagającą trasę z metą na szczycie góry. Zadanie arcytrudne. Kibicował im tłum krzykaczy, cwaniaków, którzy wszystko wiedzą i robią najlepiej. Żaby z bijącym sercem ustawiły się na starcie, usłyszały gwizdek i ruszyły przed siebie. Ręka w rękę, noga w nogę. Wspólny front nie trwał jednak długo. Czempioni szybko wyskoczyli na czoło, pędząc do utraty tchu. Rywalizacja ich nakręcała, oddech konkurentów pchał do przodu. Rozmytym z wysiłku wzrokiem patrzyli w kierunku trybun, gotowi na okrzyki zachwytu i brawa. Samce alfa wystrzeliły, samce alfa oczekują głasków, bisków, pocieszków. Ale trybuny zawodzą inną pieśń. „Nie dacie rady!", „To nie trasa na żabie udka!", „Szaleńcy", „Przegracie!"... Czempioni dostrzegli przejawy sabotażu. Para w nogach puściła. Bezduszna analiza zdusiła intuicję i zew natury. Nagle cel był nieopłacalny, zbyt trudny, koszty przekraczały zyski. Żaby wykruszały się jedna po drugiej, liderzy lądowali w rowie, wycieńczeni, pozbawieni paliwa w postaci lajków, umierali z pragnienia. Słabsze egzemplarze naśladowały silniejsze, silniejsze usprawiedliwiały się słabszymi. Porażka wisiała w powietrzu, więc znowu stado zjednoczyło się we wspólnym froncie. Jednogłośny komunikat był zwięzły i konkretny: cel jest niewykonalny dla żabiego gatunku. Trybuny potakiwały z zapałem. „Nie da się, nie da!" – przekazywały sobie z ust do ust. I kiedy wszystko wydawało się już przesądzone – publiczność dostała to, czego żądała, żaby dały to, czego od nich oczekiwano – zwrócono uwagę na jedną z nich, niepozorną, która nie zważając na krzyki z trybun, na biologiczne ograniczenia, pędziła do przodu, napędzana wiarą w siebie. Była skupiona, dobrze rozłożyła swoje siły, nie kozakowała, nie szarżowała. Instynkt pozwalał jej przekraczać granice bólu, strachu, wycieńczenia. Trybuny zamilkły, ale tylko po to, żeby za chwilę z podwójną mocą sabotować wykon żaby. „Poddaj się!", „Nie dasz rady!", „Jesteś za słaba!" – krzyczeli wszyscy. Do chóru dołączyły pozostałe żaby, kumkając bez opamiętania. Ale ona biegła dalej. Nie marnowała czasu na słuchanie tłumu, nie rozpraszała się jego radami. Nie potrzebowała ich, bo to nie brawa ją uskrzydlały. W końcu dotarła na szczyt. Wygrała wyścig. Była dumna z siebie, szczęśliwa, stała w swojej prawdzie, była sobą.

Taką żabą jestem ja, rozwódka Konstancina.

I choć moje wychudzone nogi ledwo stoją na szpilkach za dziesięć tysięcy złotych, nie poddaję się. Nie upadnę z hukiem na marmurową podłogę, o której każdy centymetr walczyłam na śmierć i życie w sądzie z samcem alfa, moim mężem. Dobiegłam do mety i choć tutaj, na samym szczycie, jest zimno, ciemno i hula wiatr, przetrwałam. Lista moich przyjaciół kurczy się w zatrważającym tempie. Dawne przyjaciółki, które tak chętnie wypłakiwały mi się w rękaw, teraz udają, że mnie nie znają. Przemawia przez nie zazdrość – i ciężka ręka ich mężów.

W tej wojnie straciłam zdrowie, włosy wypadały mi garściami, nie mogłam spać, nie mogłam jeść. W najcięższych momentach nie wychodziłam z domu bez zażycia środka na stany lękowe. Zmieniłam zamki w drzwiach, maila, numer telefonu. Odcięłam się od toksycznej matki, która ciągle chciała pić szampana za moje, nie licząc się z ceną, którą sama płaciłam. Załamanie nerwowe, ataki paniki, myśli samobójcze – to tylko część mojej historii chorobowej. Przetrwałam największą burzę w sądzie, gdzie szambo wybijało po każdym otwarciu akt. Byłam publicznie i medialnie upokarzana przez konstancińskie wrony, które przyklejały mi najróżniejsze łatki – od narkomanki i alkoholiczki zaczynając. Mąż nie oszczędzał na rozwodzie, w pewnym momencie stało przeciwko mnie pięć kancelarii, broniąc jego interesów. Jego rodzina opowiadała o mnie kalumnie, przeceniając mnie i nie doceniając zarazem. Byłam kobietą mafiosa i żoną szejka, można mnie było kupić w Dubaju i złapać na romansie z szoferem.

Broniłam się, jak mogłam. Za radą prawnika i psychologa nie przebierałam w środkach. Zainwestowałam w detektywa, hakera, a nawet przekupiłam gosposię, by zbierała brudy mojego męża. Walczyliśmy ze sobą jak Apollo z Rockym. Staliśmy na chwiejnych nogach, każde w swoim narożniku, a od upadku dzielił nas najlżejszy podmuch wiatru. Krwawiły nasze twarze, serca i godność. On za wszelką cenę chronił swoje firmy i spółki ze słupami w rajach podatkowych. Ja, rozwódka Konstancina, chroniłam swoje dziecko. Jedyny kapitał, który posiadałam, jedyny pozostały mi oręż. Czy dostałam tyle, ile chciałam? Nie. Czy on dał tyle, ile chciał? Nie. Czy oboje zapłaciliśmy za to najwyższą cenę? Tak. Czy było warto? Tak, bo żona Konstancina nie da się ot tak wykurzyć ze swojego bajecznego domu i życia, którego dobrze wykadrowane momenty obserwują tysiące followersów. Nie odda bez walki swojego futra z soboli wartego sto tysięcy złotych – i żywot kilku soboli. Nie pozbawi się stałych przelewów „na przejebanie", nie zamieni limitowanego land rovera za milion złotych na fiata punto, a letniej rezydencji w Marbelli na pokój w Karwi. Nie i już! Wilk nie będzie syty, a owca nie będzie cała, ale przynajmniej nie da zrobić z siebie kozła ofiarnego. Ani jelenia.

W Konstancinie życie płynie według sztywnego kalendarza. Są otwarcia sezonu, imprezy pokazowe, zwane balami charytatywnymi, wietrzenie szaf i garaży, sezonowe migracje, okresy godowe, wprowadzanie debiutantek, spektakularne sukcesy biznesowe i jeszcze głośniejsze upadki. Wszystko jest tu przewidywalne jak obniżki w Zarze. Można umrzeć z nudów. Biedni bogacze. Całe szczęście, że od czasu do czasu ktoś po pijaku przegra w kasynie zamek albo odpowiednio nie udobrucha kochanki, która zrobi spontaniczny nalot na willę samca. Taki show dodaje szczyptę pikanterii do uporządkowanej, nastawionej na zysk egzystencji śmietanki towarzyskiej tej podwarszawskiej enklawy.

W pozostałe dni wszystko wygląda jak zawsze. Panowie zarabiają miliony, panie wydają swoją działkę na bezrefleksyjne wrzucanie do internetowego koszyka ubrań wartych kilkaset tysięcy złotych, które nikomu szczęścia nie dają i na nikim już nie robią wrażenia. Ale w końcu każdy ma jakieś swoje nawyki. Jedni obgryzają paznokcie, inni mlaszczą przy jedzeniu, a konstancińskie księżniczki przepuszczają tysiączki z prędkością światła.

I tak od wschodu do zachodu słońca przez 365 dni w roku toczy się życie elit. Całe szczęście, że w ich DNA wpisane są nie tylko wielomilionowe przelewy, ale także niszczące największe fortuny, rujnujące najpotężniejsze rodziny rozwody. To tymi zapierającymi dech w piersi momentami karmi się Konstancin. Znowu jest o czym rozmawiać w tak zwanych beach clubach i beach barach. Panowie w swoim męskim sosie przy lampce Chivas Regal Icona za piętnaście tysięcy butelka wyliczają dzieła sztuki, które za chwilę pójdą pod młotek. Szacują straty, szykują się niczym piranie na przejęcie uciekających w popłochu szczurów, czyli klientów, którzy nie lubią mieszać się w rodzinne aferki. Rozwód jednego z nich to dla wszystkich – oczywiście poza rozwodzącym się – czas prawdziwych żniw. Tutaj nikt nie bierze jeńców. Bez mrugnięcia okiem koledzy od golfa, tenisa czy kielicha przejmują biznesy i biznesiki, skupują samochody, przejmują domy za granicą i zgarniają kochanki. W końcu nic nie może się zmarnować, zasada zero waste obowiązuje wszystkich, nawet tych z kodem pocztowym 05-520.

Panie również nie próżnują. Na brunchach i lunchach przy lampce szampana za sześć tysięcy butelka, w sukienkach koktajlowych wartych trzy średnie pensje nauczyciela, z wypiekami na twarzy omawiają rozwód swojego sąsiada. Na popularnych stronach internetowych śledzą wyprzedaż jego żony. Za bezcen kupują zegarki warte drzewiej stumetrowe mieszkanie w stolicy. Kolie od Tiffany'ego warte pół miliona, które niewierny mąż kupował, by udobruchać żonę, teraz idą pod młotek za marne parę tysięcy. Bezwstydnie plotkują na temat jej podbitego oka, złamanego zęba, licząc, że w ten sposób odwrócą uwagę od siniaków na swoich rękach i nogach. A potem wspólnie samce i samice przy jednym stole, przeżuwając krwistego steka wartego tyle, co dwumiesięczne wyżywienie podopiecznego domu dziecka, komentują nieeleganckie zachowanie dawnych małżonków. Sami zapewniając się o swojej dozgonnej miłości i wierności. Rzucają banałami w stylu „prawdziwego mężczyznę poznaje się po tym, jak kończy, a kobietę, z jaką klasą zachowa się przy rozwodzie". Po czym ci sami ludzie za kilka lat do upadłego walczą o ciupagę z Zakopanego i żonglują dziećmi jak klauni jajkami w cyrku. Nic się wtedy nie liczy. Małżonkowie bezlitośnie godzą nawzajem w swoje słabe punkty, a w tej sztuce są naprawdę biegli. Gniew i żądza zemsty ich oślepiają. Wyłączają myślenie. Na taki show publika tylko czeka. Trybuny znowu wiwatują, spragnione igrzysk i krwi. Im więcej kilogramów ważą akta sądowe, tym więcej lajków. Im okrutniejsze i liczniejsze są pozwy zahaczające o prawo rodzinne, karne, gospodarcze, prawo spółek, tym publika głośniej wiwatuje. Mężowie zaciskają pasa, starają się ukryć swoje dochody na kontach matek, sióstr, kochanek. Spreparowanych dowodów jest bez liku. Tak samo jak nagranych rozmów, zebranych przez detektywów zdjęć i zeznań świadków, którzy doskonale wiedzą, za ile zeznają. Żony zmieniają salę sądową w rewię mody, żeby pokazać byłemu, co stracił. Kwota alimentów, o jaką walczą, często przekracza roczny dochód sędziego. A wszystko po to, żeby nikt nie śmiał pomyśleć, że bogacze są zwyczajni. Bo nic tak nie boli konstancińskich samców i ich żon, jak postawienie ich w jednym szeregu z innymi szarymi obywatelami.

PS Czy wspomniałam, że zwycięska żaba z buddyjskiej bajki była głucha? Wygrała, bo nie słyszała, że nie może wygrać. Na tym polegał mój modus operandi.

Pierwsze, co mnie uderzyło po wyjściu z lotniska Madryt-
-Barajas, to niemiłosierny upał. Co prawda pilot przestrzegał
nas przed gorącym latem w Madrycie, ale w Warszawie temperatura też nie spadała poniżej trzydziestu dwóch stopni,
więc sądziłam, że tutejsze trzydzieści osiem zniosę bez problemu. Wyjęłam z torebki pomadkę nawilżającą i posmarowałam usta. Prawie cztery godziny lotu sprawiły, że wyschły na
wiór. Ale przynajmniej uspokoiłam rozkołatane serce. Musiałam działać, i to szybko. To, co powiedziała mi Laura o Janie
i Anecie, nie mieściło mi się w głowie. Z drugiej strony widziałam wikinga w akcji w Paryżu. Spokojny, wyrachowany,
wręcz socjopatyczny wyraz jego twarzy, kiedy wciskał nam kit
na temat zdrowia mojej przyjaciółki. Tak, Laura miała rację.
Jachtowe imprezy to bagno i bilet w jedną stronę. Muszę to
zakończyć raz na zawsze.

Wsiadłam do taksówki i oschłym tonem podałam przystojnemu Hiszpanowi adres w Madrycie. Siedząc na tylnej kanapie, dyskretnie zdjęłam szpilki i rozmasowałam spuchnięte kostki.

Ciekawe, co powiedziałby wiking, gdybym wparowała na jacht z takimi stópkami, pomyślałam i odruchowo zerknęłam na telefon. Miałam trzy wiadomości od Anety. Ostatnia składała się prawie z samych wykrzykników i znaków zapytania. A także krótkiego: „spóźniasz się".

Spojrzałam na zegarek. Faktycznie miałam poślizg.

– Czy może pan jechać trochę szybkiej? – poprosiłam już zdecydowanie grzeczniej, wręcz czarująco. – Mam bardzo ważne spotkanie, a już jestem spóźniona. Mandaty biorę na siebie – dodałam kokieteryjnie.

Mężczyzna jednak zdawał się niewzruszony, a nawet, jakby na złość, zwolnił przed światłami, choć nawet moja matka zdążyłaby przejechać, zanim zapaliłoby się czerwone.

Machnęłam zrezygnowana ręką i utkwiłam wzrok w widoku za oknem. Dawno nie byłam w Madrycie, ale na pierwszy rzut oka nic się tu nie zmieniło. Otaczał mnie tłum ludzi o najróżniejszych kolorach skóry, modnie poubieranych. Niektórzy wracali z pracy do domów, w których czekały na nich dzieci, mężowie, żony, partnerzy, inni szli na spotkania towarzyskie, kolacje pełne tapasów, pysznego schłodzonego wina i wesołej muzyki. Aż chciało się być na ich miejscu, raczyć się młodzieńczą beztroską.

Niewiarygodne, że kiedyś ja też byłam jedną z nich, szczęśliwą, pełną życia i planów na przyszłość kobietą. Nie marzyłam o willi w Konstancinie ani o zegarkach za milion złotych. Chciałam być kimś, coś znaczyć. Kiedy stałam się człowiekiem, którego nie lubię?

Nie miałam więcej czasu na rozmyślanie, bo kierowca właśnie niezdarnie podjechał pod wysoki krawężnik przed zapierającą dech w piersiach rezydencją z osiemnastego wieku. Zapłaciłam za kurs i wysiadłam bez słowa, na do widzenia z całej siły trzaskając drzwiami. Hiszpan w odpowiedzi tylko przyciskiem otworzył bagażnik, dając mi jasno do zrozumienia, że nie zamierza się fatygować, żeby podać mi walizkę.

Chwilę później zostałam na podjeździe sama – z bagażem w ręku i otwartą buzią. Takiej rezydencji nie widziałam nawet w Konstancinie. Wysokińscy pękliby z zazdrości. Największe wrażenie robiły olbrzymie, czterometrowe okna ze szprosami i dwie wielkie dostojne kolumny otaczające czarne drzwi, dokładnie takie same jak te w Londynie przy Downing Street 10. Ogród także zapierał dech w piersiach, zwłaszcza oranżeria pełna drzew cytrusowych i egzotycznych krzewów. Wszystko było tu na wskroś luksusowe i eleganckie, ale nie nowobogackie, co trochę mnie zaskoczyło.

Brama do rezydencji była otwarta, więc przeszłam przez nią i stanęłam przed czarnymi drzwiami. Nie widząc nigdzie żadnego dzwonka ani domofonu, uderzyłam w drzwi kołatką. Dałabym sobie rękę odciąć, że złotą. Nagle poczułam się taka mała i bezbronna przed tym wielkim zabytkowym budynkiem. Cała pewność siebie wyparowała ze mnie, byłam przerażona i rozdygotana. Szybko wyjęłam z torebki buteleczkę z alpragenem i połknęłam jedną tabletkę. Zawsze trochę mnie to uspokajało.

Dobra, mała, dasz radę. Trzymaj się planu, a wyjdziesz z tego cało, nakazałam sobie w myślach.

Ale kiedy chwilę później drzwi otworzył mi starszy elegancki Hiszpan, nie wytrzymałam i z płaczem rzuciłam mu się w objęcia.

– Dziecinko, co tu robisz? Coś stało się Wiktorii albo Juliowi? – zapytał mój teść, totalnie zaskoczony tą niezapowiedzianą wizytą.

Ja jednak byłam tak roztrzęsiona, że początkowo nie potrafiłam wydusić z siebie nawet słowa. Po chwili tylko wydukałam, że z Wiktorią wszystko dobrze.

Teść zaprosił mnie do środka, zaprowadził do wielkiej przeszklonej jadalni i podał szklankę zimnego mleka.

– Mnie zawsze pomaga na troski – wyjaśnił.

Wypiłam mleko bez sprzeciwu, choć zdecydowanie bardziej przydałoby mi się w tym momencie coś mocniejszego.

Chciałam się wytłumaczyć, ale ojciec Julia położył mi palec na ustach i zawołał gosposię.

– Monica zaprowadzi cię do pokoju dla gości. Odpocznij chwilę, weź prysznic, odetchnij, a jak poczujesz się lepiej, zejdź. Wtedy porozmawiamy – nakazał stanowczo, choć łagodnie.

Skinęłam głową i poszłam za młodą kobietą, która bez słowa wzięła moją walizkę i przeprowadziła mnie przez obłędną willę prosto do pokoju gościnnego. Gdy tylko zostałam sama, padłam na łóżko i zaczęłam płakać.

– W co ja się najlepszego wpakowałam… – szepnęłam do siebie.

Chwilę później zasnęłam z wycieńczenia.

***

Życie samo w sobie jest proste. Rano wschodzi słońce, wieczorem zachodzi. Czasami wieje wiatr, czasami pada śnieg. Są pory dnia i pory roku – i ta przewidywalność daje nam proste wskazówki, jak żyć. Boli cię głowa, napij się wody. Jesteś zmęczona, wyśpij się. Czujesz zagrożenie, uciekaj.

Zregenerowana po dwóch godzinach snu, odświeżyłam się. I zeszłam na dół, by prosić ojca Julia o ratunek. Dlaczego akurat jego? Wiedziałam, że ze zdaniem Fernanda wszyscy się liczą. Był ostrym graczem wśród europejskich rekinów biznesu. I choć nikt nigdy głośno tego nie powiedział, miałam świadomość, że ojciec mojego męża nie mógł się dorobić takiej fortuny w pełni legalnie. A to mogło oznaczać tylko jedno – swoje widział, swoje przeżył i zapewne zna, kogo trzeba. Nie myliłam się.

– Kochanie, usiądź. Czekałem na ciebie z kolacją – powitał mnie z uśmiechem. – Mam nadzieję, że czujesz się już lepiej. Nie obraź się, ale nie wyglądałaś dobrze, kiedy tu przyjechałaś. – Wstał, żeby odsunąć mi krzesło.

– Sen zawsze działa na mnie kojąco. Muszę częściej o tym pamiętać – odpowiedziałam i spojrzałam na stół, który uginał się pod najróżniejszym jedzeniem. Były tu dania kuchni polskiej i hiszpańskiej, mięsa, ryby, owoce morze oraz masa kolorowych sałatek.

– Nie wiedziałem, co lubisz, a zależało mi, żebyś coś zjadła – wyjaśnił Fernando, widząc moją zaskoczoną minę. – Najpierw jednak odrobina wina – dodał i nalał nam po lampce hiszpańskiego Dominio De Pingus za sześć tysięcy butelka. Wiem, bo było to też jedno z ulubionych win Julia.

Podziękowałam i upiłam łyk. Wciąż nie wiedziałam, jak zacząć tę rozmowę. Na szczęście teść mnie wyręczył.

– Kochanie, nie będę ukrywał, że wiem o waszych problemach z Juliem i zasmuciły mnie one. Miałem nadzieję, że mój syn nie będzie popełniał błędów, które niegdyś ja popełniłem. Starałem się wychować go na prawdziwego mężczyznę...

Zastanawiałam się, czy mówi szczerze, czy tylko tak dobrze gra. Wiedziałam, że w jego przypadku obie opcje wchodzą w grę.

– Dziękuję ci za te słowa, tato. Dużo dla mnie znaczą. Jednak nie przyleciałam do ciebie w sprawie Julia. Z tym problemem sama muszę się uporać, ale wiesz zapewne, że planuję się z nim rozwieść – wyszeptałam, lekko zakłopotana.

– Żałuję, bardzo tego żałuję, kochanie. Ale widzę, że decyzję już podjęłaś, więc jedyne, co nam pozostało, to ją uszanować. Co w takim razie sprowadza cię w moje skromne progi?

– zapytał szczerze zaciekawiony.

Wzięłam głęboki oddech, kolejny duży łyk wina, potem jeszcze jeden i dopiero wtedy zaczęłam opowiadać. Wiedziałam, że jeżeli chcę, żeby Fernando mi pomógł, to nie mogę przed nim niczego zatajać. Opowiedziałam mu zatem o wikingu i Anecie. O wyjeździe do Paryża, nocy spędzonej w hotelu Four Seasons Georges V z Francisem, o Laurze i brutalnym zbiorowym gwałcie, który zorganizował kumpel Jana, Luca. O groźbach Anety, pobiciu Różyckiego i Julia przez goryli wikinga i o tym, że teraz powinnam być w Monako na jachtowej imprezie, gdzie podobno odbywają się samcze targi.

Teść słuchał uważnie, nie przerywając, ale widziałam, że dokładnie analizuje każde moje słowo.

– I chcesz powiedzieć, że zostałaś już komuś sprzedana, dlatego Jan i jego kobieta tak naciskają na twój przyjazd? – zapytał, dopiero kiedy skończyłam.

– Tak powiedziała mi Laura, a jej ufam – odparłam z wypiekami na twarzy.

Fernando przytaknął, nalał nam jeszcze po lampce i przez chwilę w ciszy raczył się wyjątkowym smakiem trunku. Nie odzywałam się, wiedziałam, że teść intensywnie o czymś myśli, i czułam, że wreszcie mogę odetchnąć z ulgą. Nie jestem sama, ktoś wyciągnie do mnie pomocną dłoń. Nie myliłam się.

– Wiem, czym są samcze targi – odezwał się w końcu. – Wiele lat temu byłem na jednej takiej imprezie, w trakcie której kupowało się wyselekcjonowane kobiety. Pamiętam nawet, że zdziwiłem się, bo wśród nich była bardzo piękna i znana modelka. Kupił ją na trzy miesiące pewien zamożny młody Anglik. To była największa tego typu transakcja, jakiej byłem świadkiem. Wiesz, ile ten człowiek za nią zapłacił?

– Boże… nie, nie mam pojęcia, ile płaci się za ludzi – powiedziałam zniesmaczona.

– Sto milionów euro, moja droga. Tyle zabulił ten chłoptaś, żeby przykryć swoje kompleksy. Oczywiście kobieta była naprawdę znana i śliczna, ale nie o zauroczenie tu chodziło. Miał ją na oku też inny mężczyzna, bogaty Gruzin. Panowie tak ostro się licytowali, że w końcu doszli do takiej kwoty. Gdyby nie ochroniarz Gruzina, który w pewnym momencie przerwał licytację, nie wiadomo, czy cena jeszcze by nie wzrosła.

– Niewiarygodne! Jak można zapłacić tyle za prostytutkę! – Nie mogłam w to uwierzyć.

– Kochanie, po pierwsze, to nie była prostytutka, tylko prawdziwa top modelka, a po drugie, choć wiem, że to nie zabrzmi dobrze, w tych targach wcale nie chodzi o kobiety, tylko o posiadanie czegoś, czego na co dzień nie można posiadać. Kiedyś słyszałem, jak jeden z rosyjskich oligarchów zakochał się w bardzo znanej amerykańskiej aktorce. Nie mógł zdobyć jej w tradycyjny sposób, choć podobno próbował wszystkiego. Wysyłał jej nietuzinkowe prezenty, na przykład białego tygrysa. Ale kiedy aktorka zdawała się niewzruszona, a jej mąż się wściekł, bo musisz wiedzieć, że była szczęśliwą mężatką z trójką dzieci, i zakazali miliarderowi kontaktować się ze sobą, mężczyzna zaatakował z innej strony. Jak wieść gminna niesie, jego ludzie porwali jedno dziecko pary. Do wymiany doszło po cichu i bez udziału policji. Można tylko się domyślać, na czym polegała transakcja.

– Chcesz mi powiedzieć, że już za późno na ratunek dla mnie? – zapytałam przerażona.

– Nie, ale tych ludzi nie wolno ignorować. Na twoje szczęście nie jesteś żadną światowej klasy modelką ani aktorką. Żaden nadziany typ spod ciemnej gwiazdy nie będzie ryzykował dla ciebie swojego majątku albo wolności.

To mnie trochę uspokoiło i dało cień nadziei, że Wiktoria jest bezpieczna.

– Ale to nie znaczy, moja droga – ciągnął teść – że możesz tak po prostu wrócić do Warszawy i liczyć, że o tobie zapomną.

– To co mam zrobić? Zabrać córkę i się ukrywać? – wykrzyknęłam przerażona.

– Nie, dziecko. Zrobimy to inaczej, po mojemu. Ufasz mi? – zapytał, spoglądając mi głęboko w oczy.

– Ufam – odpowiedziałam.

Nie miałam innego wyjścia.

W Konstancinie nigdy nie wiadomo, kto jest ofiarą, a kto drapieżnikiem. Kiedy różowa bańka miłości pęka jak ta zwykła, mydlana, zaczyna się wyścig o przetrwanie. Samce alfa i samice błyskawicznie zmieniają się w drapieżników. On za wszelką cenę chce zostać na swoim terytorium, obsikując wszystko, co się da. Ona wie, że ma niewiele czasu i tylko jedną szansę, by nakarmić do syta swoje małe i siebie. Trzy, dwa, jeden… Krwiożercze polowanie czas zacząć!

Pierwszy i najważniejszy krok to znalezienie najlepszego, najbardziej „śliskiego" prawnika rozwodowego. Najlepiej takiego, który zwykle wygrywa, nie przeraża go balansowanie na granicy prawa i potrafi kręcić takie piruety nad kruczkami prawnymi, że nawet sam sędzia zmuszony jest bić mu brawo. Jego wiedza nie może jednak opierać się tylko na rozwodach. Musi mieć w małym palcu prawo karne, rodzinne, prawo spółek, gospodarcze i nie tylko. Po co? Ano po to, żeby umiejętnie i pewnie prowadzić swojego klienta przez kolejne górki i dołki rozwodowej batalii, ale przede wszystkim, by móc z powodzeniem stosować politykę tzw. zastraszacza, czyli wysyłania do żony – bo to najczęściej taktyka stosowana wobec porzuconych kobiet – kilkunastu, a czasem nawet dwudziestu pozwów sądowych. Należy kobietę przestraszyć, osaczyć i doprowadzić do tego, by wycofała się ze swoich żądań albo przynajmniej zeszła z wysokości alimentów. Poza tym taki prawnik musi mieć na swoim koncie przynajmniej trzy rozwody milionerów i co najważniejsze – umieć z takimi ludźmi rozmawiać. Bo wiadomo, bogacz przyzwyczajony jest do specjalnego traktowania. Posługuje się językiem pieniądza i wydaje mu się, że wystarczy zrobić odpowiedni przelew do kancelarii, a wygraną ma w kieszeni. Bo przecież wszystko można kupić i każdy ma swoją cenę. Tak z powodzeniem prowadzi biznesy i tak likwiduje konkurencję. Ale w sądzie panują inne reguły. Tutaj, jak śpiewa Stanisław Sojka, „wszyscy równi wobec czasu i płomienia". Ale fakty i to, co wychodzi w aktach, to już zupełnie inna melodia. Na tym etapie kreatywność niektórych prawników dosłownie zwala z nóg. Tak samo jak ich cenniki. Największe buldogi potrafią za godzinę kasować od siedmiuset do kilku tysięcy złotych. Ale prawda jest taka, że i tutaj nie ma równości. Pomijając aspekt finansowy, rzadko który jurysta bierze pod swoje skrzydła porzuconą, walczącą z mężem milionerem kobietę. Porzucającego samca alfa, z odpowiednią liczbą zer na koncie, większość bierze z największą chęcią.

Krwistość rozwodu, jego rozgrzewka, przebieg, punkt kulminacyjny i finał, zwany przez prawników roboczo procedurą exitu, zależy od klienta. I tutaj podziały są wyjątkowo klarowne.

W świecie konstancińskich samców rozwody porównuje się do... steka. Blue, czyli stek delikatnie wysmażony, w środku najbardziej krwisty, ciekły i ciepły. Tu żony porzuca się dla młodszej, jędrniejszej kochanki. Są to zazwyczaj pierwsze żony, które stały u boku mężów, kiedy dzisiejsze rekiny biznesu dopiero raczkowały. Poznali się wiele lat temu, najczęściej na studiach, i połączeni prawdziwą miłością wzięli ślub – bez intercyzy, rzecz jasna. Bo wtedy jeszcze ich majątek był tak skromny, że nie było czego dzielić. Małżonkowie dorabiali się wspólnie, ale podział ról był dokładnie ustalony: mąż idzie do roboty i buduje imperium, a żona wychowuje dzieci (po dziesięciu latach zazwyczaj trójkę), zajmuje się domem i jest wizytówką ich wspólnej marki. Pan z boku wygląda na godnego zaufania męża stanu, dla którego tradycyjne wartości, takie jak rodzina, są na szczycie biznesowej piramidy. Kobieta jest szczęśliwą żoną, spełnioną matką. I kiedy w końcu, po prawie dwóch dekadach tyrki, dzieci wyfruwają z domu, a ona jest gotowa, żeby zająć się sobą, wtedy bum! – mąż przedstawia jej inny scenariusz na emeryturę. Takie kobiety najczęściej po trzydziestu latach małżeństwa nie mają nawet swojego konta w banku, oszczędności, bo wszystko jest w sakwie u męża. I choć w takich związkach podczas rozwodu oczywisty jest podział majątku, nagle się okazuje, że niespecjalnie jest co dzielić, bo spryciarz ma na siebie tyle co kot napłakał. Reszta jest w rajach podatkowych i spółkach wszelkiej maści. Żona zostaje jedynie z niskimi alimentami, które sąd przydzielił jej, bo trzódka już pełnoletnia i się nie należy. Taki rozwód jest najbardziej krwawy właśnie dla kobiety. Traci majątek, status życiowy, a najczęściej ze stresu też zdrowie. Co traci mąż? Reputację, wiarygodność biznesową i zazwyczaj dzieci.

Druga grupa to rare, czyli stek słabo wysmażony. Proces ścinania białka już się rozpoczął, mięso ma lekko rumiane boki, ale nadal jest krwiste. To rozwody podobne do tych z kategorii blue, różnica polega na tym, że żona podpisała intercyzę, w której jest dokładnie wypunktowane, co należy się jej po rozwodzie. Takie kobiety, choć tak samo jak w pierwszym przypadku są zaskoczone i upokorzone zdradą męża, nie zostają na lodzie. Po trzydziestu latach małżeństwa zazwyczaj należy im się dom lub stumetrowy apartament. Alimenty nie mniejsze niż pięćdziesiąt tysięcy na miesiąc i zazwyczaj jednorazowe przelewy za każde urodzone dziecko (około miliona za głowę). Do tego dochodzi jakaś część majątku i o nią jest walka na śmierć i życie w sądzie. Ten model rozwodowy jest bardziej krwisty dla męża niż żony, ponieważ kobieta nie jest tutaj taka bezbronna. Ma amunicję w postaci pieniędzy, które jej się należą, i jest bardzo, ale to bardzo wkurzona. A to oznacza, że interesy męża są zagrożone, bo żona zaczyna sypać. I to nie głowę popiołem.

Kolejna kategoria to medium rare, czyli stek średnio krwisty, ale nadal słabo wysmażony. To „pieszczotliwie" nazywany przez samców konstancińskich rozwód z dziedziczką. Czyli żona sroce spod ogona nie wyleciała, najczęściej jest córką jakiegoś ubeka lub prywaciarza, któremu udało się wykorzystać koniunkturę lat dziewięćdziesiątych. Rozwód z taką panią jest bolesny głównie dla męża, bo niewierny fircyk ma na głowie nie tylko rozjuszoną żonę, ale także jeszcze bardziej rozjuszonego teścia. I tutaj nie ma zmiłuj. W najlepszych okolicznościach majątek dzielony jest po połowie, ale zazwyczaj żony kierowane przez wpływowych tatusiów wywalczają zacne alimenty na siebie. W tym przypadku bardzo często mąż decyduje się na ugodę. Nie wynika to z dobroci jego serca, bynajmniej. Pan umie czytać między wierszami i wie, że jeżeli nie zakończy tego małżeństwa najkorzystniej dla porzuconej żony, wtedy ona, jej tatuś, a zazwyczaj również bardzo wpływowi koledzy tatusia rozwalcują niewiernego i jego biznesy. Dlatego samiec przełyka zepsutą brukselkę niczym mleczną czekoladkę z reklamy z ładną panią i zgadza się na wszystko. W zamian dostaje krótki komunikat: „Wspólnie zdecydowaliśmy, że nasze małżeństwo się skończyło. Nadal się przyjaźnimy i wspieramy". To zdanie ratuje jego reputację i biznesy. Ale mąż wie, za co i dlaczego płaci.

Czwarta grupa to klasyka gatunku, czyli medium. Średnio wysmażony stek, wybierany powszechnie. Do tej kategorii zaliczamy najczęściej przytrafiające się przypadki, czyli rozwody z tak zwanymi alimenciarami. To panie, które wchodzą w związek małżeński z panami z Konstancina z pełną świadomością, na co się piszą. Wiedzą, że ich czas w tym małżeństwie jest policzony. On liczy go w latach, ona w milionach. On się spodziewa, że wyjście z takiego związku nie będzie łatwe, ale zazwyczaj nie ma świadomości, ile tak naprawdę będzie go to kosztowało. Bo jak mówi się w Konstancinie, po cichu, na proszonych kolacjach, w klubach fitness i u zaufanej kosmetyczki, nic ani nikt nie powstrzyma alimenciary. Ona jest głodna krwi, została skrzywdzona, oszukana, porzucona i jej mąż musi za to zapłacić. Jeżeli prawnikom obu stron nie uda się ściągnąć cugli i namówić rozwścieczonych małżonków na cichą ugodę poza murami sądu, to mamy powtórkę z rozwodu Johnny'ego Deppa i Amber Heard. Jego reputacja zostaje zniszczona na zawsze, w towarzystwie traktowany jest jak zepsute jajo, bo nikt nie chce się mieszać w prywatne rozgrywki. Jego biznes wisi na włosku, a ona nie ma nic do stracenia. Wyciąga z najgłębszych czeluści największe brudy, gra dziećmi, cały czas podbijając stawkę. Żąda alimentów powyżej stu tysięcy na głowę i nie zatrzyma się, póki wilk nie zdechnie, a owca nie będzie syta.

Kolejny typ to medium well, czyli steki dobrze wysmażone. Mięso przybiera bardziej brunatny kolor, jest twarde, ale elastyczne. Tak samo jak niewierny mąż. W tej kategorii mieszczą się zazwyczaj medialne rozwody osób publicznych, dziennikarzy, aktorów, piosenkarzy, celebrytów czy sportowców. Tutaj każdy ruch jest dokładnie analizowany przez setki dziennikarzy z kolorowych magazynów i portali internetowych. A stawka jest tak wysoka, że nikt – ani on, ani ona – nie może sobie pozwolić na jeszcze większy skandal. Kontrakty są podpisane, role ustalone, followersi zdobyci. Małżonkowie wiedzą, że tylko szybki i cichy rozwód pozwoli im wyjść z tego bagna z twarzą i zachować swój status. W końcu w ich świecie nic tak źle nie działa na popularność jak złe emocje publiki. Patrz Sebastian Fabijański, Antek Królikowski, Zbigniew Zamachowski... Ostatnia, szósta, grupa to well done, czyli stek mocno wysmażony. Mięso ma kolor brunatny, czasami nawet jest lekko przypalone. Tu mamy rozwody małżeństw z samego konstancińskiego Olimpu. Państwo są tak bogaci i wpływowi, że nie wchodzi w grę nawet najmniejsza rysa na szkle. O dziwo, pieniądze grają drugorzędną rolę. No, tak jakby. Bo dla niewiernego stałego bywalca list „Forbesa" najważniejsze jest, by zdradzona żona nie powiedziała głośno, że została zdradzona. Pan, owszem, zaliczył skok w bok, a nawet się zakochał, ale ta wiadomość nie może opuścić jego pałacowych komnat. Tutaj reputacja jest najważniejsza, bo niewinnie rzucone oszczerstwo w stronę męża od razu odbija się na giełdzie. Pani też wie, o co gra, i nie chce, żeby miliardy, które przejmą ich dzieci, się kurczyły. Dlatego godzi się na wspólną wersję wydarzeń. Tutaj panowie nie oszczędzają. Otoczeni prawnikami, wiedzą, że im bardziej zadowolona była żona, tym aktualna żona mniej nerwowa. Brawo, well done!

Zawsze ciągnęło mnie do samców alfa. Potrafiłam wyczuć takiego na kilometr. I nie rozpoznawałam go po mokasynach od Ferragamo za cztery tysiące złotych ani po samochodzie z tapicerką na zamówienie wartym tyle, co kilka mieszkań na Ursynowie, tylko po sposobie, w jaki się nosi. Taki samiec idzie zawsze pewnym krokiem, ma podniesioną głowę i patrzy na innych z wyższością. Uważa się za lepszego, bo jest lepszy. Osiągnął sukces, o jakim zwykły Kowalski jedynie marzy, siedząc na swoim praktycznym fotelu z Ikei i pijąc wino z Lidla. I jasne, można powiedzieć, że prostak, bo się wywyższa, ale prawda jest taka, że taki samiec imponuje wszystkim – i kobietom, i mężczyznom. Spełniony, bogaty, bosko pachnący. Przy takich facetach uginają się pode mną kolana. I taki właśnie był mój teść. Naprawdę nie musiał mieć dwóch metrów wzrostu ani urody Brada Pitta, by sprawić, że wszystkie głosy cichły, kiedy wchodził do pokoju.

Myślałam, że z wiekiem pewne zachowania się zmieniają, bledną, że siedemdziesięcioletni staruszek nie będzie miał tyle odwagi, tupetu, żeby zrobić to, co zrobił. A jednak.

Leżąc w łóżku w jego willi, uznałam plan Fernanda za szalony, wręcz niewykonalny. Przez chwilę myślałam nawet, że ze mnie zadrwił. Że w ten sposób mści się na mnie za to, jak potraktowałam jego syna. Choć tak naprawdę to Julio był tutaj wilkiem, nie ja. O czwartej nad ranem byłam już tak pewna, że zostałam koncertowo ograna, że chciałam jak najszybciej opuścić ten dom i wrócić do siebie, do Warszawy, na Wilanów. I kiedy gorączkowo upychałam swoje ubrania do walizki, zatrzymała mnie jakaś dziwna, niewidzialna siła.

– I co zamierzasz zrobić? Zwiejesz jak tchórz i całe życie będziesz się oglądać przez ramię? Naprawdę tego chcesz dla siebie, dla swojej córki? – powiedziałam do siebie. – Czego ją nauczysz? Strachu, składania broni? Tego, że kobieta warta jest tyle, ile za nią zapłacą? Nie! Wystarczy, że moja matka zniszczyła mi życie, nie zrobię tego Wiktorii. – Spojrzałam na siebie w lustrze. – Nie przestraszę się. Nie tym razem!

Drżącą dłonią sięgnęłam po flakonik z lekami i łyknęłam dwie pigułki. Kwadrans później byłam już inną kobietą.

***

– Wcześnie wstałaś – powiedział Fernando dwie godziny później, kiedy zastał mnie siedzącą w wiklinowym fotelu na tarasie i pijącą kawę z mlekiem.

– Nie mogłam spać – przyznałam.

– Nie bój się, maleńka, nie pozwolę, żeby ktoś skrzywdził matkę mojej jedynej wnuczki. Wystarczy już to, co zrobił Julio – powiedział mój teść i uśmiechnął się do mnie, tak jak kiedyś uśmiechał się mój ukochany dziadek. Jedyny mężczyzna w moim życiu, który mnie nie zawiódł. Nie licząc tego, że zbyt wcześnie zmarł.

– Chyba się nie dziwisz, że się boję. To wszystko nie mieści mi się w głowie. Ci ludzie... Jak mogłam się wpakować w takie bagno! Przemocowy mąż to jedno, ale zadzierać z kolesiami w typie wikinga to już zupełnie inny kaliber – mówiłam z zadziwiającym spokojem. Kochany alpragen, na niego zawsze mogę liczyć.

– Dziecko, wiem, że nie mieści ci się to w twojej ślicznej główce. To akurat dobrze o tobie świadczy. Wyciągnę cię z tego, ale musisz mi zaufać, trzymać się planu...

– A po powrocie dalej udawać żonę Julia – dokończyłam.

– Nie udawać. Postarać się nią być – poprawił mnie teść. – Ostatni raz dać szansę mojemu głupiemu synowi, ale tym razem pod moim nadzorem.

– Rozumiem, że to jest twój warunek? Jeżeli się nie zgodzę, nie pomożesz mi z Janem, Anetą i całym tym syfem, prawda? – rzuciłam cierpko.

– Nie, kochanie, to nie jest mój warunek. Ale tylko w ten sposób możesz wyjść z tego impasu cała.

Spojrzałam na ogród. Powietrze pachniało cytrusami, jaśminem i ziołami. Wszędzie słychać było bzyczenie pszczół, za chwilę, kiedy słońce zacznie grzać pełną mocą, wszystko, co ma choć odrobinę instynktu samozachowawczego, umknie w cień. Tylko ja będę się smażyć w gorących promieniach. Zawsze to lepsze niż ogień piekielny. Chociaż jak tak dalej pójdzie, i on mnie dosięgnie.

– Za godzinę jedziemy na lotnisko. Idź się przebrać. Monica zostawiła ci na łóżku sukienkę, która będzie idealnie pasowała do... okoliczności – powiedział i wrócił do salonu, zostawiając mnie samą na tarasie.

Dopiłam w spokoju kawę, patrząc na piękną fioletową wisterię zwisającą z altany, po czym poszłam do swojego pokoju. Na łóżku faktycznie czekała na mnie sukienka. Piękna, żółta plażowa suknia od Zimmermanna. Spojrzałam na metkę z ceną – dwa tysiące euro. Do tego płaskie złote sandały Gucci za kolejne dwa tysiączki. Szybko się przebrałam i spojrzałam na siebie w lustrze. Może tym razem nie wyglądałam, jakby ptaszki szykowały mnie na bal, ale na pewno był to strój idealny na imprezę na jachcie.

***

Lecieliśmy samolotem Fernanda. Mój teść w jasnym lnianym garniturze i mokasynach ze skóry strusia robionych na zamówienie u szewca elit prezentował się zaskakująco dobrze. Był niewiarygodnie nonszalancki. Nawet pijąc Krwawą Mary, zdawałoby się raczej kobiecy drink, wyglądał męsko. Poczułam się przy nim bezpiecznie. Wiedziałam, że mam do czynienia z samcem alfa, a oni potrafią zadbać o swoje kobiety. Taką przynajmniej miałam nadzieję.

– Pamiętaj, mówię głównie ja – instruował mnie spokojnie. – Choćby nie wiem co się działo, nie pozwalasz, żeby emocje wzięły nad tobą górę. To jest biznes, kochanie, twardy, krwawy biznes. Albo zagrasz tak, jak najlepsi gracze, albo wypadasz za burtę. Histeria nie jest nam potrzebna.

– Mam się zachowywać jak facet, tak? – rzuciłam lekceważąco.

– Masz wyglądać jak anioł i milczeć. Tylko tyle od ciebie wymagam – odparł ostro teść. – Dasz radę?

Wzruszyłam ramionami.

– Chyba nie mam innego wyjścia.

– Z koleżankami też nie rozmawiasz. Skiniesz tylko głową na powitanie. I nie odchodzisz ode mnie na krok. Nawet jak cię ta cała Aneta o to poprosi. Moi ochroniarze cały czas będą mieć na nas oko, ale nie mogą szukać cię po całym jachcie. Jasne?

– Jak słońce. Nic nie mówić, nie ruszać się i uśmiechać…

– Uśmiechy też możesz sobie darować. Nie jedziemy tam, żebyś poderwała jakiegoś fagasa, tylko chcemy zakończyć tę szopkę. – Fernando przeszył mnie wzrokiem, a ja poczułam się nieswojo.

– Dobra, dam radę. Tylko mnie z tego wyplącz…

Teść złapał mnie za rękę.

– Będzie dobrze, tylko trzymaj się planu.

Ale nic nie było dobrze. I nic nie poszło zgodnie z planem. Byłam przerażona i nie potrafiłam tego ukryć, nawet wielkie okulary od Hermèsa nie kamuflowały przerażenia w moich oczach, kiedy zobaczyłam bladą jak ściana Laurę na kolanach Włocha. Mój widok ewidentnie ją zaskoczył, tak samo Anetę i Jana. Ale najbardziej zaskoczyło ich zachowanie mojego teścia, który bezpardonowo podszedł do wikinga i strzelił go w twarz. Tak, Fernando – lat siedemdziesiąt, niecałe metr osiemdziesiąt centymetrów, lekka nadwaga – rozwalił nos Janowi. Na białą koszulę z metką Lanvin za trzy tysiące złotych trysnęła krew. Jego ochroniarze błyskawicznie otoczyli mnie i teścia. I wtedy Fernando powiedział coś, co sprawiło, że kieliszek z szampanem, który wręczył mi kelner, gdy tylko weszliśmy na pokład, wypadł mi z ręki.

– Synu, skurwysynem trzeba umieć być.

Po tych słowach Hiszpan odwrócił się na pięcie, zostawiając mnie, Anetę i Jana w totalnym osłupieniu.

Kiedy steki zostały już przyrządzone według oczekiwań i smaku, a każdy dostał to, na co sobie zasłużył, przyszedł czas na degustację, czyli rozwodową destrukcję.

Na czele największych grzeszników jest mąż, który tuż przed emeryturą robi skok w bok. Czyli nasz krwisty stek.

Odkąd Konstancin z inteligenckiej podwarszawskiej miejscowości stał się snobistycznym rajem dla miliarderów bez arystokratycznego rodowodu, takich krwistych rozwodów było sporo. A o kilku huczał nie tylko cały Konstancin, ale też Warszawa, Marbella, Szwajcaria, St. Tropez i wszystkie miejsca, gdzie bogacze mają swoje gniazdka, w których ukrywają siebie albo kochankę podczas sezonowych migracji.

Jednym z głośniejszych był rozwód pana zwanego Zosią Samosią i jego potulnej żony J. Państwo poznali się dawno temu, gdy jeszcze wycieczki autokarem do Złotych Piasków w Bułgarii nie były obciachem, tylko szczytem luksusu. On był młodym studentem prawa na Uniwersytecie Warszawskim, ona śliczną stypendystką na wydziale pedagogicznym. On marzył o karierze w topowej zagranicznej kancelarii, ona chciała otworzyć prywatne przedszkole. Wpadli na siebie na jednej ze studenckich domówek i zakochali się na zabój. Do tego stopnia, że Zosia Samosia odbił obiekt swych westchnień innemu studentowi. Po dwóch miesiącach całowania się po kątach i snucia wspólnych planów zaręczyli się i ku radości obu rodzin (żadna do śmietanki towarzyskiej nie należała, raczej tę śmietankę podawały) wzięli ślub. On był bystrym i sprytnym studentem, ale to nie dzięki tym umiejętnościom tuż po studiach, bez aplikacji, został doradcą pewnego biznesmena, rolnika z Wielkopolski. I właśnie tam nasz bohater przeprowadził się razem z piękną żoną. Pracodawca, którego szwagier był wysoko ustawiony w partii, miał na swoim koncie tyle ziem, że gdyby wymienił je na miasto, mógłby się stać właścicielem Poznania. Zosia Samosia wyczuł pismo nosem – pilnie pracował i przyglądał się umiejętnościom szefa. A że uczestniczył w większości rozmów na szczycie, kontakty miał pierwszorzędne. To wystarczyło, by tuż po obradach Okrągłego Stołu nasz pan prawnik wrócił z rodziną (tak, wtedy był już dumnym ojcem słodkiego cherubinka, a w drodze była mała księżniczka) do stolicy, gdzie zaczął stawiać pierwsze kroki w branży deweloperskiej. Szybko nauczył się z gracją poruszać w tym biznesie i już po kilku latach wznosił brzydkie, choć nowoczesne budynki w Ursusie i na Gocławiu. To doprowadziło go do majątku, którego mógłby pozazdrościć mu nawet jego dawny pracodawca. Wtedy też zdecydował się osiedlić w podwarszawskim Konstancinie, gdzie liczne drzewa sosnowe są prawdziwym rajem dla płuc, trzewi i w ogóle. Pan czuł całym sobą, że to dopiero początek jego spektakularnej kariery, dlatego postanowił nie rzucać się w oczy, a swój domek z poprzedniej epoki otoczył wysokim murem z żywopłotu. Tylko przyjaciele i znajomi królika wiedzieli – bo widzieli na własne oczy – że w środku jest prawdziwy barok i rokoko. Kto oglądał *Tygrysy Europy*, ten wie, o czym mowa. Nasz bohater był prekursorem tego stylu. W każdym razie pod koniec lat dziewięćdziesiątych każdy kogucik z prowincji chciał być jak on.

J. wspierała go całym sercem i pełną parą. Bo kiedy przeprowadzili się do willi w Konstancinie, mieli już na garnuszku trójkę dzieci, którymi zajmowała się samodzielnie. I mówiąc „samodzielnie", mam na myśli naprawdę samodzielnie – bez męża, który pracował po osiemnaście godzin na dobę, bez kierowcy, kucharza ani niani, bo jak wspólnie ustalili, nikt tak nie zaopiekuje się ich gniazdkiem i pisklętami jak wyedukowana w tym kierunku żona. Owa żona była z tego podziału obowiązków zadowolona, bo do leniuszków nie należała, a nie ma przecież zacniejszej pracy niż ta na konto swojej rodziny. Ani cięższej, bo Zosia Samosia był wymagający – dawał z siebie dwieście procent i tego samego wymagał od połowicy. Obiad z dwóch dań plus deser musiał być codziennie, nawet jeżeli go nie jadł, wiadomo – kto ma czas na domowe obiadki, kiedy pracować trzeba. Dom zawsze musiał lśnić czystością, świeże kwiaty, świeża pościel, pachnące ręczniki. No i najważniejsze – dzieci. Nimi J. opiekowała się nawet wtedy, kiedy te już matczynego ramienia nie potrzebowały. I jakby mało miała obowiązków, musiała być zadbana, elegancka i zawsze w pogotowiu. Bo nigdy nie wiadomo, kiedy mąż oznajmi, że trzeba się pokazać z ważnym klientem albo zaprosić tegoż do domu.

Tak, J. potrafiła sprostać tym wszystkim rolom i oczekiwaniom. Nie skarżyła się, nie narzekała, zawsze z uśmiechem na twarzy, pierwsza wstawała o świcie, by wszystko przygotować na tip-top, kiedy reszta rodziny się zbudzi. Potulna, usłużna, cichutka. Dlatego nie można jej się dziwić, że po trzydziestu latach takiej orki, kiedy już dzieci wyfrunęły z domu na dobre i kiedy ona chciała się w końcu zapisać na kurs francuskiego i odsapnąć, a mąż przedstawił jej alternatywny scenariusz na ich emeryturę, wyszła z siebie. Zosia Samosia od tej strony żony nie znał. Przez myśl mu nie przeszło, że jego spokojna, delikatna kobietka potrafi tak nabruździć. I to za co? Przecież to nie jego wina, że przestał kochać ją, a zaczął Krystynę z pracy. Młodą, piękną, jędrną, zachwyconą jego inteligencją, dowcipem i wigorem. J. już od wielu lat nie śmiała się z jego żartów, nie gładziła go po ręce, szepcząc do ucha, że jest jej bohaterem. Nie patrzyła z zachwytem. To właściwie wina żony, że zakochał się w innej, dlatego żona za tę winę zapłaci. I to nie drobniakami. Takie słowa usłyszała J. któregoś wieczoru, kiedy mąż wrócił z pracy, a ona podawała mu właśnie jego ulubioną pieczoną gąskę na kolację. Gąska błyskawicznie wylądowała na głowie Zosi Samosi, a J. zaczęła krzyczeć tak, że sąsiedzi, oddzieleni od nich wysokim żywopłotem, zbiegli się, pewni, że zobaczą czyjeś zwłoki.

Tego wieczoru J. przeszła swoje pierwsze zdiagnozowane załamanie nerwowe. Drugie miała trzy tygodnie później, a jego pokłosiem była rzeź, której dopuściła się na kolekcjonerskich samochodach męża. Porsche 911 SC z 1981 roku warte około 350 tysięcy, porsche 911 carrera za pół miliona i jego oczko w głowie – czerwone porsche 356 C z 1964 roku za 600 tysięcy w pół godziny zostały doszczętnie porysowane, szyby wybite, a opony poprzebijane. Auć, zabolało!

Potulna szara myszka pokazała pazury – i pokazywała je za każdym razem, kiedy mąż choćby próbował napomknąć o rozwodzie. Wtedy J. nie przebierała w słowach ani czynach. Nic nie było w stanie jej zatrzymać. Wreszcie po kolejnej akcji – tym razem był to publiczny wykon żony na jednej z imprez branżowych – Zosia Samosia powiedział „stop". Bardzo dosadnie. Zamknął J. w prywatnej klinice dla osób z silną depresją i trzymał ją tam przez rok, oczywiście suto opłacając placówkę i lekarza prowadzącego. Tak suto, że medyk z miesiąca na miesiąc przedłużał decyzję o koniecznym leczeniu pacjentki.

J. wyszła po roku, ale była już innym człowiekiem. Mąż i liczni eksperci od PR-u w tym czasie pracowali jak mróweczki nad uratowaniem jego wizerunku. I udało im się. Zosię Samosię znów szanowali i podziwiali wszyscy w środowisku. W końcu nie każdego męża stać na taką wspaniałomyślność i nie każdy ma tak dobre serduszko, żeby zostać przy chorej żonie i tak dzielnie się nią opiekować. Oczywiście nikt nie wiedział, że żona na co dzień mieszkała w brzydkim apartamencie w Ursusie, gdzie w szafach z Ikei dokładnie poukładane były jej stare suknie z Harrodsa i kaszmirowe sweterki Chanel, w których nie miała gdzie chodzić. Tylko kiedy dzieci zapowiadały się z wizytą albo mąż zapraszał gości do siebie, przywoził nafaszerowaną lekami J. do ich domu. Ona, jak za dawnych czasów, znowu była cichutka i potulna. Nie skarżyła się na swój los, już nie miała siły. Tuż po wyjściu z kliniki, kiedy jeszcze nie zdążyła się uzależnić od leków na uspokojenie, depresję i stany lękowe, potrafiła trzeźwo ocenić swoją sytuację. A ta była przerażająca. Dopiero wtedy, w wieku pięćdziesięciu siedmiu lat, J. zdała sobie sprawę, że przegrała swoje życie. Zaślepiona miłością do męża, ufając mu bezgranicznie, nie zwracała nawet uwagi na to, że nie ma własnego konta w banku. Zawsze korzystała z kart i rachunków męża. Nie miała też swoich oszczędności – żadnych, bo wszystko, co wspólnie zgromadzili przez lata, leżakowało sobie spokojnie na lokatach pana. Dom, a właściwie domy, bo jak przystało na szanujących się krezusów, mieli apartament w Juracie i willę pod Rzymem, oficjalnie zapisane były na jednej z wielu spółek męża. Tak samo wszystkie samochody i dzieła sztuki, w które zainwestował, żeby pochwalić się przed kolegami, że stać go na Uklańskiego, choć w głębi duszy gardził takimi bohomazami. J. nie miała doświadczenia zawodowego, ciekawego CV ani żadnych szczerych przyjaciół. Została sama, upokorzona i ośmieszona. Nie zostało jej nic, jak tylko zgodzić się na warunki pana. A układ z nim był prosty. Kiedy będzie grzeczna i uczynna, on w nagrodę zrobi jej zakupy spożywcze i sypnie groszem. Kiedy będzie podskakiwała, ubezwłasnowolni ją i odeśle z powrotem do kliniki.

Jej krzyki, sprzeciwy, szantaże, a w końcu błagania na nic się zdały. Pani w oczach publiki była od dawna niepoczytalna, nawet własne dzieci uważały ją za alkoholiczkę, lekomankę i wariatkę. A pan? Żył sobie luksusowo i szczęśliwie, otoczony sztabem dyskretnych i dobrze opłacanych fanek z miseczkami biustonosza powyżej C. O żadnym rozwodzie nie było mowy. Jego prawnicy doradzili mu, że pozostanie mężem J. będzie dla niego o wiele tańsze, bo nawet alimentów nie będzie musiał płacić. O podziale majątku nikt nie wspominał. Oczywiste było, że jego prawnicy tak to rozegrają, by J. nic nie dostała, jako żona czy nieżona. I tak się stało. Doradcy jeszcze podpowiedzieli, że opieka nad chorą połowicą to wizerunkowy strzał w dziesiątkę. Nic tak nie wzbudza szacunku i zaufania, także tego biznesowego, jak empatyczne i miłosierne serduszko. Nawet jeśli od czasu do czasu pan zaliczył małą wpadkę, wpadając na galę Polskiej Rady Biznesu z jakąś młodą panienką, było mu to wybaczone. W końcu każdy czasami musi zrobić coś dla siebie, żeby nie zwariować.

Innym głośnym rozstaniem, ale tym razem zakończonym rozwodem, był rozwód państwa W. Jednak w tym wypadku, choć scenariusz oczywiście podobny, pan po wielu latach całkiem dobrego, przynajmniej według niego, małżeństwa rzucił pani papierami rozwodowymi w twarz. Powód? Pani miała czelność się zestarzeć i rzekomo o siebie nie dbać. Słowem wyjaśnienia: pani była bardzo ładną i zadbaną pięćdziesięcioparolatką, która po prostu chciała godnie się starzeć. Ale panu to nie odpowiadało. Na pięćdziesiąte urodziny żony zapisał ją do kliniki medycyny estetycznej, gdzie mieli jej powiększyć biust o dwa rozmiary. Pani podarku nie przyjęła, a do tego miała tyle klasy i poczucia humoru, że wszystko obróciła w żart. Ale to nie były żarty. Prawnicy męża poświęcili trzy akapity pozwu rozwodowego na jej nieodpowiedni stosunek do wyglądu i sam wygląd, który nie pasował do najnowszego biznesu męża – wegańskich kremów sprowadzanych z Japonii. Później się okazało, że pan poza kremami ściągnął sobie z Kraju Kwitnącej Wiśni kilka ślicznych Japonek, w tym jedną nieletnią, którym wynajmował mieszkanka w Śródmieściu i na Starym Mokotowie. Ale do tego jeszcze wrócimy, bo najważniejsze jest to, że żona cały czas zdawała się niewzruszona planami milionera. Ba, nawet lekko z nich drwiła na zamkniętych imprezach w Konstancinie. Wnikliwy obserwator zauważyłby, że na takie zachowanie może pozwolić sobie tylko kobieta, która chowa asa w rękawie. Ale mąż nie doceniał swojej połowicy, bo słabo ją znał. Przez lata żyli niby razem, ale jakby osobno. Nawet sypialnie mieli oddzielne, bo on chrapał, a ona nocami lubiła czytać. Mężowi nigdy nawet nie przyszło do głowy, że to wszystko było świadomym wyborem żony, która kilka lat po ślubie zorientowała się, że wyszła za mąż za głupca i prostaka. Kiedy byli młodzi, tłumaczyła sobie jeszcze, że jego zachowanie jest po prostu ekstrawaganckie i zapewne z tego wyrośnie. Ale z każdym kolejnym rokiem spędzonym pod wspólnym dachem przekonywała się, że jej mąż coraz mniej przypomina egzotyczną panterę, za to z zastraszającą prędkością zamienia się w pospolitego świniaka. A po świniaku można spodziewać się wszystkiego. Dlatego żona już w pierwszej dekadzie małżeństwa zaczęła oszczędzać pieniądze i przelewać je na konto swojej siostry, zbierać haki na męża i „zaglądać" do jego biznesów. Znała hasła do skrzynki mailowej męża, kod do jego telefonu i ogólnie była uzbrojona po zęby w czasach, kiedy jemu jeszcze nie przyszło do głowy, by zamienić żonkę na Japonkę. Dlatego kiedy pan rzucił żonie papierami w twarz, zdziwił się, że przyjęła to z takim spokojem. Ba, nawet zdawało mu się, że zauważył lekki uśmiech na jej liczku. Trzy dni później wszystko było już jasne. Pani w odpowiedzi na pozew wysłała przez swojego prawnika własne oczekiwania, które wzmocniła ciekawą dokumentacją. Bardzo kompromitującą – z licznymi nagraniami, na których pan robi różne rzeczy z egzotycznymi kochankami. Za takie rzeczy w Japonii jest dożywocie. A najśmieszniejsze jest to, że pan dowody zdrady i „nietypowe" zabawy z nieletnią dziewczyną nagrywał sam. Jego torba na laptopa, z którą nigdy się nie rozstawał, o czym doskonale wiedziała żona, naszpikowana była profesjonalnym sprzętem do nagrywania. Tak zwane oko misia uwieczniło seks z czternastoletnią dziewczyną, a do tego zażywanie nielegalnych substancji.

Pani oczywiście na rozwód zgodziła się z rozkoszą, ale litania jej oczekiwań była wprost proporcjonalna do listy haków, które przez lata zbierała na ukochanego. I tutaj nie było zmiłuj. Prawnicy pana błagali prawników pani o jak najszybszą ugodę i gwarancję dyskrecji spisaną u notariusza. Pani dostała dom w Konstancinie, dom w Szwajcarii, gdzie chodził do szkoły jej najmłodszy syn, połowę udziałów we wszystkich firmach męża i tak zwane drobne na – a co tam! – dbanie o urodę w wysokości dwustu tysięcy miesięcznie. Po takim splądrowaniu skarbca pan nie zagościł więcej na liście „Forbesa", za to, jak tak dalej pójdzie, jest szansa, że pojawi się tam jego żona. Zaoszczędzone pieniądze zainwestowała bowiem w ciekawy start-up, który przynosi już milionowe zyski. I kto tu komu podłożył świnię?

To teraz może stek średnio wysmażony, wciąż jeszcze krwista historia. Dawno, dawno temu, za Górą Kalwarią i rzeką Wisłą, mieszkał sobie spokojnie pewien miliarder, pan Z. Naprawdę spokojnie, bo o jego majątku nie wiedział właściwie nikt. Najwięcej urząd skarbowy, najmniej żona i dzieci. Tak, przed nimi strzegł tej tajemnicy najpilniej. I absolutnie nie robił tego ze skąpstwa – po prostu trzeźwy wgląd w życie innych miliarderów dał mu wiele do myślenia. Nasz bogacz karierę zaczął od szczęśliwego losu na loterii, który przyniósł mu pierwsze kilka milionów. Było to na początku nowego milenium. Pan był tak zaskoczony wygraną, że zanim oswoił się z tym, że z brygadzisty w firmie papierniczej stał się milionerem, upłynęły cztery lata. To wtedy odważył się zainwestować w upadającą hodowlę gęsi w centrum Polski. Czuł, że dobrze robi, pakując całą wygraną minus podatek plus procent na lokacie w gąski. Ale żeby nie zapeszyć, nikomu z rodziny nie powiedział, że stał się głównym udziałowcem w drobiowym interesie. Wiedzieli o tym tylko jego prawnik i księgowy. Żona nadal myślała, że Z. jest brygadzistą w firmie papierniczej, tylko za dobre wyniki w pracy w ramach awansu został przeniesiony do centrali. Finansowo w ich życiu zmieniło się tylko to, że całą rodziną polecieli na wakacje do czterogwiazdkowego hotelu w Egipcie, a Z. ich stare renault zamienił na... nowe renault. Poza tym wszystko było po staremu. Pan nie chciał zapeszać. Aż po kolejnych czterech latach jego biznes gąską tuczony stał się jedną z trzech największych firm zaopatrujących Europę Zachodnią w gęsinę. A to oznaczało już nie miliony, ale miliardy na koncie. Ale jak to mówią, bycie miliarderem to styl życia, a nie saldo na koncie. Pan ani nie wyglądał, ani nie czuł, że jest tak bogaty. Dlatego kiedy zadzwonili do niego z „Forbesa" z informacją, że znalazł się w pierwszej dwudziestce najbogatszych Polaków, najpierw powiedział, że to jakaś pomyłka, a potem słono zapłacił, żeby na liście najbogatszych rodaków jednak się nie znaleźć. Było to w czasach, kiedy jego gąski jadł nie tylko Zachód, ale także Wschód, z bogatą Rosją na czele. Po tym incydencie pan postanowił przynajmniej żonę uświadomić, jakim majątkiem dysponują. Pani najpierw zaliczyła omdlenie, a potem ciśnienie tak jej skoczyło, że na sygnale trafiła do najbliższego szpitala. Kiedy kurz opadł, a pani doszła do siebie, małżonkowie wspólnie stwierdzili, że najlepiej będzie, jeśli zachowają stan swego majątku w tajemnicy. Dzieci wychowywali w szacunku do pracy i pieniądza. Najstarsza córka o jakiejś części bogactwa ojca dowiedziała się, dopiero gdy ukochany tatuś w prezencie ślubnym kupił jej i jej małżonkowi ładną willę w Konstancinie z wielkim ogrodem i imponującym starodrzewem. Nieruchomość warta była kilkadziesiąt milionów złotych. Wtedy tatuś się przyznał, że jest właścicielem niedużej, lecz całkiem dobrze prosperującej hodowli drobiu. Córeczka wyszła za mąż za rokującego lekarza, który szybko okazał się damskim bokserem, lubującym się w prostytutkach najróżniejszej maści. Dziewczynie wstyd było się przyznać, że tak źle ulokowała uczucia, dlatego wybielała i tuszowała wybryki lubego, dopóki nie wylądowała w szpitalu ze wstrząsem mózgu. Król gąsek nie mógł się pozbierać po takiej zniewadze. Poprzysiągł zemstę i postanowił nie tylko puścić doktorka z torbami, ale też zniszczyć mu reputację. A że fundusze miał, powody również, zanim złamane serce jego córki zdążyło się skleić za sprawą wybranego przez tatę porządnego kawalera, doktorek musiał szukać pracy poza granicami Polski. Jednak nie to było dla niego największym ciosem, ale poznanie sekretu teścia. Notabene sam teść, kiedy doktorek został już odcięty od rodzinnej fortuny, osobiście postanowił złożyć mu wizytę. Pod koniec spotkania nie omieszkał pokazać byłemu zięciowi swojego zeszłorocznego PIT-u.

W ten sposób doszliśmy do rozwodu z alimenciarą. A tutaj mamy prawdziwe igrzyska – z fajerwerkami, konfetti, zimnymi ogniami i balonową armatką. Każdy samiec alfa, który na własnej skórze przekonał się o mocy takiej pani, poci się, sapie i dyszy ze strachu. Bo alimenciara nie boi się niczego i przed niczym się nie zatrzyma. Doskonale zna ciosy poniżej pasa i sztuczki gold diggerki, bo nierzadko sama pochodzi z tego rozdania. Z taką panią lepiej nie zadzierać, wie to każdy, kto zadarł – i zdarł z siebie ostatnią koszulę, żeby ratować, co się da.

Będzie stereotypowo. Standardowa alimenciara, czyli żona numer dwa, to piękna, młoda i jędrna kusicielka. Istna femme fatale. Czasami przez przypadek w romantycznych okolicznościach, najczęściej jednak w tych niewyjaśnionych, udaje jej się poznać i uwieść milionera. Często są to kobiety prowadzone przez tych samych coachów i psychologów biznesowych co ich ofiary. Bo tak, prawie każdy miliarder, milioner i aspirujący do tego statusu kogucik doszkala się w sztuce manipulacji. Jego guru to zazwyczaj sprawdzony w elitach coach. I właśnie on jest idealnym łącznikiem w takich relacjach. Czasami mediatorem jest wróżka, tarocista lub inny czarodziej, który niczym dobry wujek (lub ciocia) dorabia sobie na boku parowaniem. Taki człowiek manipulacyjnymi sztuczkami i zagrywkami potrafi wzbudzić zaufanie milionerów, którzy z zasady nikomu nie ufają. Otoczeni ludźmi, z których każdy chce tylko ubić biznes dla siebie, a przy tym tak naprawdę samotni, korzystają z pomocy. I choć zapewne wśród takich guru są ludzie uzdolnieni, natchnieni i prawdziwi, to część z nich to zwykli oszuści, którzy różnią się od Cyganki, co prawdę ci powie, jedynie rekomendacją.

I właśnie tacy „szamani" rozkręcili sobie biznesik na boku. A działa to tak. Koordynator towarzyski odpowiedzialny za podsuwanie samcom alfa wybranych najczęściej z instagramowych kont młodych dziewczyn ubija biznes z owym coachem. Ten do spółki z nim „edukuje" wybraną pretty woman, której marzy się nie tylko bogaty kochanek, ale bogaty mąż. Pani poznaje mocne i słabe strony milionera, na którego zamierza zarzucić sieć. Doskonale wie, co powiedzieć, jak połechtać jego ego, jak sprawić, żeby pan poczuł się nie tylko bogiem, ale bogiem bogów. A nie oszukujmy się, każdy mężczyzna lubi, jak mu się kadzi, zwłaszcza kiedy robi to seksowna kobieta. I taka gra w dwa, a nawet trzy ognie – bo przecież panna, guru i koordynator – trwa do momentu, kiedy samiec alfa wciśnie na zwieńczony spektakularnym tipsem palec diament wart milion złotych. Wtedy spektakl zostaje wstrzymany, choć piłka ciągle jest w grze. Pani, której z taką asystą udaje się wyrwać milionera, zaciąga w ten sposób dożywotni dług u panów. Jak go spłaca? Najczęściej stałymi miesięcznymi przelewami w wysokości około dziesięciu tysięcy złotych na głowę albo raz na jakiś czas prezentami w postaci luksusowych samochodów. To już pani sprawa, jak te podarki zatai przed mężem. Może się wydawać, że alimenciara złapała Pana Boga za nogi i od tej pory jej życie jest usłane różami. Nie do końca tak jest. Bo dla niej zdobycie męża miliardera to dopiero początek. Potem zaczyna się prawdziwa harówka. Pani wie, że na zabezpieczenie swojego losu ma maksymalnie dekadę, po tym czasie jej wkład w małżeństwo, czyli długie nogi i jędrne piersi, zacznie pana nudzić. Dlatego należy jak najszybciej dać mu dziecię, a najlepiej trójkę. Za urodzenie każdego potomka sprytna panna dostaje jednorazowo po milionie plus, po rozwodzie, alimenty – na każde dziecko nie mniej niż trzydzieści tysięcy. I to nie są puste obietnice. Prowadzona przez guru i koordynatora pani zaraz po zdobyciu miliardera dostaje namiar na prawnika – z „tych" prawników, który za kolejne lukratywne procenty pomaga jej stworzyć odpowiednią intercyzę. Tak, drogie panie, jeżeli nie chcecie zostać wyrolowane w trakcie rozwodu, w czasach mlekiem i szampanem płynących koniecznie wymuście na panu intercyzę. Tylko ona gwarantuje zakończenie małżeństwa po waszej myśli. Żadna wspólnota majątkowa, a broń Boże darowizna nie zabezpieczy waszej przyszłości. Samce alfa doskonale wiedzą, jak w razie czego udowodnić, że mają jedynie spraną koszulę na grzbiecie i zdarte buty.

A więc pani ma dziesięć lat – maksymalnie – na urodzenie trójki dzieci, comiesięczne odkładanie pieniędzy, kupowanie absurdalnie drogich ubrań i biżuterii z myślą, że kiedyś te rzeczy spienięży, oraz najważniejsze – ZBIERANIE ARGUMENTÓW, dlaczego panu nie opłaca się wojna rozwodowa.

W Konstancinie, na bardzo luksusowej ulicy, zamieszkała z milionerem, któremu niewiele brakowało do statusu miliardera, była gold diggerka, aktualnie żona z perłami na szyi i w jedwabnej bluzeczce zapiętej na ostatni guziczek. Scenariusz ich małżeństwa pisała chyba Łepkowska, bo był „z życia wzięty". On zatracał się w pracy, ona w byciu bogaczką. Bo dziewczyny, którym nagle i spektakularnie poprawia się status, nie wiedzą, co z sobą i tą kasą zrobić. Najczęściej wpadają w wir zakupów, zabiegów, operacji plastycznych oraz zbyt dobrze poznają smak Dom Perignon i cristala. A z ich uścisku trudno się wyrwać. W każdym razie pani od dnia, kiedy powiedziała „tak" w uroczym włoskim kościółku, wiedziała, że jej czas jest policzony. Tik-tak, tik-tak... I tak przez cały czas. Dziećmi zajmowały się nianie, nie tylko dlatego, że pani nie potrafiła czy nie chciała, ale co by pomyślał Konstancin, gdyby nie zatrudniła guwernantki z Francji! Oczywiście ogrodnika też musiała mieć odpowiedniego, najlepiej z Anglii, choć prawda jest taka, że sama najlepiej zaopiekowałaby się swoimi różami. No i kucharza – przecież to wstyd, żeby pani domu sama, własnymi rękoma, przyrządzała jedzenie dla swojego króla. Ale nawet król ma swoje granice, a także preferencje. Te zaś co dekadę się zmieniają.

Być może za sprawą guru i coacha, bo w przyrodzie nic nie ginie, a może pan potrzebował nowego surowca naturalnego, żeby jego rumak ruszył z kopyta. Tak czy siak, nadszedł czas na nową wartę. Pan mówi więc pani, że chce mocniej, szybciej, młodziej, inaczej, tylko w bardziej dyplomatycznych słowach, dlatego potrzebuje odpocząć. Wakacje na Seszelach czy Zielonym Przylądku nie spełnią jego oczekiwań, dlatego wpada na prosty pomysł: zastosujmy strategię exitu i zakończmy to małżeństwo z klasą.

Wtedy pani mówi: „Kochanie, dla ciebie wszystko, ale daj mi jeszcze kilka milionków ze swojego majątku, bo inaczej pokażę te nagrania twoim rodzicom, współpracownikom, mediom i pani od francuskiego też". Pan z podniesioną brwią odpowiada, że nie wie, o czym mowa, wtedy pani uśmiecha się czarująco i pokazuje nagranie z samczych targów. Jak je zdobyła? O tym później. Co powiedział pan? Zgodził się na większość jej oczekiwań.

Inna pani, choć z tego samego rozdania, posunęła się w sztuce szantażu jeszcze dalej. Co prawda – tu trzeba oddać jej rację – nie wymachiwała niewiernemu mężowi przed nosem filmami nagranymi przez opłacane prostytutki albo byłe, w okropny sposób porzucone, żony. Choć w zaciszu domowym miała takich hitów cały stos. Część z nich sama nagrała, kiedy upojony miłością z nią mąż poluzował krawacik, wciągając długą jak dżdżownica po deszczu kreskę kokainy. Na innych filmikach pan w akcie uniesienia pozwolił się biczować różowym pejczem albo – co bardzo widowiskowe – ozdobił swój goły tyłek korkiem analnym wyglądającym jak ogon wiewiórki. W sądzie pan zapewne jakoś by się z tego ogona wytłumaczył, ale jego reputacja zostałaby na zawsze zrujnowana, bo jak wiadomo, takie rarytasy zawsze lądują na srebrnych tacach.

W każdym razie pani papierów na pana miała w bród. Ale czuła, że to nie zniszczyłoby jego reputacji w takim stopniu, w jakim by sobie tego życzyła. A pani życzyła sobie krwi. Mnóstwa krwi. Była upokorzona, zła, że wpadła we własne sidła – została zamieniona na młodszą koleżankę po fachu. Ona, taka sprytna, inteligentna, wkurzająca jak wrzód na tyłku, dała się ograć jak jakaś frajerka. I to komu? Takiemu frajerowi! Co to, to nie! Na to pozwolić nie może. Dlatego zrobi wszystko, żeby ten nieoczekiwany zwrot akcji jego zrujnował, a ją wzbogacił. Nawet jeżeli na ołtarzu ofiarnym trzeba będzie złożyć córkę. I absolutnie nie mam tu na myśli walki o opiekę nad pierworodną. Pani zdecydowała się na cios poniżej pasa i puściła w świat wieść, że mąż molestował jej dziecko. Tak pięknie utkane kaszmirową nicią kłamstwo szybko obiegło konstancińskie wille. Pan z minuty na minutę stawał się coraz większym zwyrodnialcem, pedofilem i zboczeńcem. Jego biznesowi partnerzy na początku pukali się w czoło, no nie mogli w to uwierzyć! Ale w końcu uwierzyli. Ich żony patrzyły na niego z obrzydzeniem, gorączkowo chowając przed nim swoje dzieci. I choć nie było nawet najmniejszego dowodu, żadnego filmu czy zdjęcia, misja została wykonana – pan zrujnowany. Nikt ani nic nie mogło tego zmienić. Nawet córka, która nie zerwała kontaktu z ojcem, wręcz przeciwnie – przerażona tym, co zrobiła jej matka wariatka, próbowała zdementować pogłoski. Mleko jednak się rozlało. Machina poszła w ruch i plotka, przechodząc z ust do ust, przybierała coraz to bardziej absurdalny wydźwięk. I choć ludzie niby nie wierzyli, to ręki panu nikt już nie chciał podać. Był skończony – wizerunkowo i finansowo. Ta okropna historia tak na niego wpłynęła, że ze stresu dostał zawału i prawie zszedł z tego świata. A wszystko dlatego, że wcześniej wszedł tam, gdzie wierny mąż alimenciary wchodzić nie powinien.

Miliarderzy albo mają jaja, albo ich nie mają. Jeżeli należą do tej drugiej grupy, to na listach najbogatszych utrzymują się jeden sezon. Najczęściej tak samo błyskawicznie, jak zdobyli majątek, tracą go bezpowrotnie.

Mój teść miał jaja – i Jan przekonał się o tym na własnej skórze. Z jego nosa leciała krew, ale na nikim nie zrobiło to najmniejszego wrażenia. Na nikim poza mną i Anetą, rzecz jasna. Przestraszona rozejrzałam się po wszystkich tych ładnych i mniej ładnych twarzach i ze zdumieniem stwierdziłam, że zachowanie mojego teścia było dla tych ludzi niczym więcej niż brzęczenie komara. A może to nie Fernando został zignorowany, tylko wiking, specjalista od luksusowych prostytutek, który poza zdobywaniem szparek najdroższych pań był w tym towarzystwie nikim?

– Janie, nie miałem okazji poznać twoich gości – zabrzmiał nagle głos z wyraźnie wschodnim akcentem.

Wiking wytarł nos chusteczką, spojrzał na mnie i wycedził:

– Pozwól, że przedstawię ci byłą żonę Julia i jej teścia.

– Byłą żonę? – odezwał się Fernando. – Chyba zostałeś wprowadzony w błąd. Z tego, co wiem, moja synowa nadal jest moją synową. Prawda, kochanie? – Posłał mi kokieteryjne spojrzenie.

– Ależ oczywiście, tato – odpowiedziałam równie zalotnie.

Po dłuższej chwili milczenia mężczyzna ze wschodnim akcentem zwrócił się do nas:

– Witam was serdecznie na moim jachcie.

Fernando podszedł do niego, spojrzał mu w oczy, a następnie wziął w ramiona niczym dobrego kompana.

– Ivan, tak myślałem, że to ty. Witaj, chłopcze. Co słychać u mojego starego przyjaciela? – zapytał pewnym siebie głosem.

– Ojciec ma się dobrze, dziękuję – odpowiedział mężczyzna imieniem Ivan.

– Koniecznie pozdrów go ode mnie. Ostatnio widzieliśmy się w Madrycie kilka lat temu. Twój ojciec gościł w moim domu. Robił interesy z Anglikami u mnie w salonie.

Ivan spojrzał na mojego teścia sceptycznie. Widać było, że jego opowieść albo nic mu nie mówi, albo kompletnie go nie rusza. Jednak gestem ręki odprawił wikinga i zaprosił ojca Julia do stołu.

– Kochanie, idź przywitaj się z koleżankami. Ja porozmawiam z Ivanem – wyszeptał mi do ucha Fernando.

– Ale tato, mówiłeś, że mam nie odstępować cię na krok – odpowiedziałam przerażona.

– Zmiana planów. Nie bój się, Cyprian ma cię na oku. – Wskazał wzrokiem na wysokiego mężczyznę ubranego w czarny garnitur.

Teść chciał jeszcze coś dodać, ale przerwała nam Aneta, która nie wiadomo kiedy stanęła za moimi plecami.

– Pokażę ci resztę jachtu – powiedziała, ciągnąc mnie za sobą.

Byłam przerażona, czułam, że teść blefuje, a Aneta i wiking zaczynają orientować się w sytuacji. Jeżeli nie wydarzy się jakiś cud, wyląduję w kajucie jakiegoś obleśnego typa, zmuszona robić rzeczy, których będzie ode mnie wymagał.

Kiedy weszłyśmy na piętro i reszta towarzystwa zniknęła mi z oczu, Aneta złapała mnie mocno za rękę i krzyknęła:
– Co ty odpierdalasz? Straszysz nas tatusiem?
– Nie wiem, o czym mówisz – odpowiedziałam przytomnie.
– Posłuchaj, nie ze mną te numery. Wiem, że jesteś zwykłą kurewką, taką samą jak Laura czy te twoje, pożal się Boże, przyjaciółeczki. Każda z was za grosik do skarbonki pada na kolana i robi takie rzeczy z tymi bogaczami, że płacą za was jak za zboże. – Ścisnęła mocniej, wykręcając mi nadgarstek.
– Nie wiem, co tu się dzieje, ale jeden koleś zapłacił za ciebie furę pieniędzy i czy ci się to podoba czy nie, nie zamierzam ich stracić.
– O czym ty mówisz? – krzyknęłam przerażona.
– Nie udawaj niewiniątka. Wiem, kim jesteś i jak znalazłaś się w Konstancinie. Takie jak ty nie pojawiają się tu przez przypadek. Bierz przykład z Laury. Ona szybko załapała zasady tej gry – odpowiedziała Aneta lodowatym tonem.
– Rozumiem, że ty i tobie podobne musiałyście padać na kolana przed każdym gościem tutaj. – Zmierzyłam ją wyniosłym wzrokiem. – Ale ja nie jestem z tego rozdania. I zaraz sama się o tym przekonasz. Lepiej bądź miła i podaj mi lampkę cristala. Chyba że chcesz, żebym poskarżyła się na ciebie przyjacielowi mojego teścia.
Aneta wyglądała na zaskoczoną. Najwyraźniej nie wiedziała, czy mi wierzyć. Na wszelki wypadek puściła moją rękę

i oznajmiła, że chwilowo mam wolne – mogę się rozejrzeć po jachcie i zobaczyć, po co i dlaczego zostałam tu ściągnięta.

Kiedy tylko odeszła, poczułam, że nogi się pode mną uginają. W gardle miałam pustynię. Całe szczęście niedaleko stał kelner z szampanem. Podeszłam do niego szybko i chwyciłam lampkę, którą wypiłam duszkiem. Potem jeszcze jedną. Dopiero kiedy alkohol lekko zaszumiał mi w głowie, przestałam się trząść jak osika. Wzięłam głęboki oddech i rozejrzałam się. Poza kelnerem w tej części jachtu nie widziałam nikogo. Za to zza drzwi, przed którymi stałam, słychać było stary popowy kawałek Madonny.

Zajrzałam tam. Pomieszczenie było duże i ciemne – gdyby zapalić światła, mogłoby spokojnie nadawać się na salę balową. Stały tu wielkie czarne fotele i stoliki, dyskretnie oddzielone jeden od drugiego czerwonymi parawanami. W każdym takim boksie siedzieli mężczyźni i pili whisky. Niektórzy rozmawiali, głównie we wschodnich językach. Nie słyszałam polskiego czy chociażby angielskiego.

Kiedy wzrok przyzwyczaił mi się do panującego w pomieszczeniu półmroku, spojrzałam w kierunku, gdzie patrzyła większość mężczyzn. Na środku sali była scena. Po takim miejscu spodziewałam się, że zobaczę rury do tańca i wybieg dla prostytutek, ale niczego takiego nie widziałam. Scena była pusta, dookoła niej stały głośniki czy jakieś skrzynie, z tej odległości niewiele widziałam. Podeszłam kilka kroków, uważnie się rozglądając. Miałam wrażenie, że nikt nie zarejestrował mojej obecności. Mężczyźni ewidentnie wyczekiwali na to, co miało się pojawić na scenie. Część z nich nawet zbliżyła się do niej, żeby mieć lepszy widok.

Chwilę później światło całkowicie zgasło, a wraz z nim umilkły rozmowy. W skupieniu wpatrywałam się w scenę, starając się dojrzeć cokolwiek w tej ciemności. Nagle światła rozbłysły. W pierwszej chwili nie wiedziałam, na co patrzeć. Sporej wielkości skrzynie okazały się klatkami... w których klęczały kobiety. Miały spętane ręce i zawiązane oczy. Niektóre były nagie, inne ubrane jedynie w skąpą bieliznę, każda jednak miała na nogach wysokie szpilki. Widok ten kojarzył się z handlem ludźmi, ale kobiety nie krzyczały, nie starały się uciec z klatki. Na niektórych twarzach można było nawet dostrzec minimalny uśmiech. Czy to prostytutki? – zastanowiłam się. Niektóre być może tak. Ale na pewno nie wszystkie.

Przyglądałam się dziewczynom z rosnącym przerażeniem. Widać było, że są bardzo młode, część pewnie nie skończyła jeszcze osiemnastu lat. Co one robiły w tych klatkach? Czy były tu z własnej woli? Czy właśnie zostały kupione? Czy gdybym nie przyleciała tu z teściem, sama zajmowałabym jedną z tych klatek?

Serce zaczęło mi walić jak młot, miałam wrażenie, że tylko je słychać w tej ciszy. Przerażona zaczęłam się powoli wycofywać. Ale poza oświetloną sceną w sali panowały egipskie ciemności. Ktoś włączył muzykę i część dziewczyn w klatkach zaczęła się poruszać do jej rytmu. Ale nie wszystkie. Miałam wrażenie, że kilka zaczyna się szarpać. To na nich skupiłam wzrok. Teraz już widziałam dokładnie – one się nie uśmiechały, wręcz przeciwnie, po ich policzkach spływały łzy. Te były tutaj wbrew własnej woli. Jedna nawet zaczęła głośno krzyczeć, ale od razu podszedł do niej wielki łysy mężczyzna i bez ceregieli zrobił jej zastrzyk w rękę. Co jej wstrzyknął? Leki uspokajające czy narkotyki? A może jedno i drugie? W każdym razie zadziałało, bo już po chwili kobieta była spokojna. Tylko jej nienaturalnie wykrzywione usta świadczyły o tym, że dzieje się z nią coś złego.

Przeraziłam się. Poczułam, że brakuje mi powietrza, że zaczynam się dusić. Odwróciłam się, by jak najszybciej opuścić to miejsce, ale w ciemności wpadłam na kogoś. Na jakiegoś umięśnionego mężczyznę, który od razu zaczął się do mnie dobierać. Niewiele myśląc, kopnęłam go z całej siły kolanem w krocze i ruszyłam do wyjścia – przynajmniej taką miałam nadzieję, bo praktycznie nic nie widziałam.

Światła na scenie znowu zgasły i wokół zapadła grobowa ciemność. Słychać było jakieś ruchy, ktoś szedł, sapał, siadał na fotelu. Ktoś upuścił szkło. Nie wiedziałam, co się dzieje. A może to mnie ścigali? Poczułam, że pot spływa mi po plecach, mój oddech niebezpiecznie przyśpieszył. Byłam pewna, że jeżeli natychmiast stąd nie wyjdę, zemdleję.

Wtedy znowu rozbłysły delikatne lampy. W półmroku dało się zauważyć pewną zmianę scenerii. Na scenie stały teraz puste klatki, a kobiety, które wcześniej w nich były, krążyły wśród gości. Część z nich dosiadła się już do konkretnych mężczyzn; dziewczyny nie marnowały czasu, od razu zabrały się za ich rozporki. Zanim udało mi się dojść do pierwszych drzwi, które zobaczyłam, sala stała się scenerią istnej orgii. Młode kobiety wyginały się, ich ciała jakby były z gumy. Pozwalały robić ze sobą wszystko. Kilku mężczyzn wciągało kokainę z odbytu jakiejś prostytutki. Słyszałam jęki i sapania. W kilku boksach towarzystwo zabawiało się zbiorowo. Widać było, że wszyscy tu mają kamasutrę w małym paluszku. Pozycja na misjonarza błyskawicznie zmieniła się w tę na łyżeczkę, następnie panie padały na kolana i już mieliśmy psi zaprzęg. Szalony pasikonik przeskakiwał w wachlarz i spoczywał na podniebnym siedzisku. Ci bardziej uzdolnieni finiszowali w pozycji żurawia z kiścią winogron.

Stałam zupełnie oniemiała. Nie mogłam uwierzyć w to, co widzę. Każdy słyszał o orgiach na jachtach, ale takiego widowiska się nie spodziewałam. Teraz miałam już pewność, że większość tych kobiet to świetnie znające się na swoim fachu prostytutki, dla których w seksie nie ma tematu tabu. Panie pozwalały włożyć sobie między nogi wszystko, co tylko panom przyszło do głowy. Z butelką whisky włącznie. Jedna z nich doskonale odnajdywała się w roli barmanki, z gracją wlewając alkohol do ust spragnionych ogierów. Panowie tak dobrze czuli się w tym towarzystwie, że nawiązywali bliższe znajomości nie tylko z kobietami. Tutaj nikt nie wybrzydzał – prezesi wielkich firm za klapsa dawali dupy każdemu bez wyjątku. Panie prężyły się i rozciągały w nienaturalnych wręcz pozach. Na stołach było wszystko – od marihuany, LSD i ecstasy po kokainę, heroinę i amfetaminę. Czym chata bogata. Dla każdego coś dobrego.

Nagle moją uwagę zwróciły kryształowe flakoniki z jakąś kolorową cieczą.

– To nowe poppersy, koteczku – wyszeptał mi do ucha po angielsku jakiś mężczyzna, najwyraźniej widząc moje zdziwienie. – Spróbuj, dzięki nim będziesz mogła w swoim tyłku przechować chanelkę. I to nie ten najmniejszy model – dodał i zaczął się histerycznie śmiać.

Spojrzałam na niego z odrazą i ruszyłam w stronę drzwi, kiedy nagle dostrzegłam dziewczynę, która wcześniej płakała w klatce. Leżała na stole z głową odwróconą w moją stronę. Miała nieobecny wzrok. Grupka zboczeńców gwałciła ją na oczach innych zboczeńców, których ten widok ewidentnie podniecał. W pierwszej chwili chciałam do niej podbiec, ściągnąć z niej typa, który właśnie wciskał w jej krocze swojego krasnala, ale w ostatniej chwili się zatrzymałam. Spanikowałam.

Przecież jej i tak już nie pomogę. A jeśli nie chcę zająć jej miejsca, muszę jak najszybciej stąd uciec, pomyślałam i nacisnęłam klamkę.

Jednak zamiast, jak się spodziewałam, wyjść na pokład jachtu, znalazłam się w kolejnym pokoju. Tym razem bardzo jasnym. Było w nim kilku mężczyzn, każdy nagi i w masce jakiegoś zwierzęcia: lwa, tygrysa, pantery, niedźwiedzia, wilka. Na środku, jak w sąsiedniej sali, stała scena, a na niej klatki. Spojrzałam w ich kierunku i zamarłam. Poczułam, że zaraz zwymiotuję. Rzuciłam się do drzwi, ale nie mogłam ich otworzyć. Ktoś je zamknął! Odwróciłam się i zwymiotowałam wszystko, co dziś zjadłam i wypiłam, za aksamitny fotel. Cała się trzęsłam, ale nikt nie zwracał na mnie uwagi – a może tylko udawali, że mnie nie widzą.

Skuliłam się i zaczęłam bezgłośnie płakać. Próbowałam wyrzucić z głowy to, co zobaczyłam, ale nie mogłam. W klatkach siedziały małe dziewczynki, skulone jak ja teraz i płaczące. Miały po siedem, może osiem lat. Niektóre tuliły w ramionach pluszowe misie. Boże, co tu się dzieje, gdzie ja jestem? Czy ci zwyrodnialcy w maskach będą uprawiać seks z tymi dziećmi? Będą je gwałcić? Już nie panowałam nad sobą. Pokój zaczął wirować, miałam wrażenie, że jestem na diabelskim młynie. Czułam nawet zapach waty cukrowej i pańskiej skórki.

A potem zemdlałam.

Ocknęłam się dopiero w ramionach Cypriana, ochroniarza mojego teścia. Niósł mnie na rękach do wyjścia. Spojrzałam na klatki – były już puste, zostały w nich tylko pluszowe misie. Znowu zaczęłam płakać. Mężczyzna ścisnął mnie mocniej, nie zwalniając kroku. Błyskawicznie przechodził z pokoju do pokoju, szukając wyjścia. Po tym, jak widziałam klatki z małymi dziewczynkami, nic już mnie nie ruszało. Nawet gejowskie party, gdzie jedni nadzy mężczyźni byli panami, a drudzy, trzymani na smyczy, udawali psy. Psami z pewnością byli bogacze i to oni dawali się biczować aż do krwi. Ostatnim pokojem, przez który przeszliśmy, była kameralna biała sala – znowu ze sceną. Ale tym razem taką na jednego aktora. A właściwie aktorkę. Kobieta była przywiązana do rury, a po jej nagim ciele wspinał się wielki żółty wąż. Ze zdumieniem stwierdziłam, że to znana z zagranicznego reality show żona bogacza. Zemdlałam, kiedy wąż zaczął pełznąć w górę jej uda...

***

– Kochanie, dobrze się czujesz? Ocknij się – usłyszałam głos mojego teścia.

Próbowałam otworzyć oczy, ale nie mogłam. Miałam wrażenie, że pedofile w maskach przytrzymują moje powieki.

Nagle poczułam coś zimnego na twarzy. To Fernando polał mnie wodą. Z bólem i strachem uniosłam jedną powiekę, potem drugą. Zobaczyłam przerażoną twarz mojego teścia.

– Zemdlałaś. Co się stało? Czy ktoś cię skrzywdził? – zapytał, kiedy próbowałam się podnieść.

Pokręciłam głową.

– Mnie nie – powiedziałam zachrypniętym, ledwo słyszalnym głosem. – Czy możemy już wracać do domu? Chcę jak najszybciej znaleźć się w Warszawie, przy mojej rodzinie, przy Wiktorii... – Zaczęłam histerycznie płakać. – Co to za miejsce, kim są ci ludzie? Przecież to zwyrodnialcy! Boże, w co ja się wplątałam...

– Cicho, bo nas usłyszą – warknął Fernando, po czym dodał łagodniej: – Uspokój się. Zaraz podpłynie po nas motorówka. Wszystko już załatwiłem. Możemy wracać do domu.

– Czyli jestem bezpieczna? Wiking, Aneta i ci wszyscy psychole dadzą mi święty spokój? – zapytałam z niedowierzaniem.

– Tak.

– Na zawsze?

– To się okaże. Mam jednak nadzieję, że na zawsze.

– Ale jak to zrobiłeś, tato? Co dałeś im w zamian? – strzelałam pytaniami jak z armaty.

– Później, dziecko, później. Teraz musimy się stąd jak najszybciej ewakuować, zanim zmienią zdanie. – Fernando

wskazał na motorówkę, która właśnie podpłynęła pod jacht.
– To nasza. Chodź. I nie odwracaj się. Wracamy do domu.
– Do domu... – powtórzyłam szeptem jego słowa.

Kto zamawiał steka dobrze wysmażonego, takiego, którego mięso jest twarde, ale elastyczne? Państwo X. z pierwszych stron gazet? Tak jest! Pamiętacie pewną modną ustawkę, kiedy to cała rodzina z gracją pozowała w błocie, reklamując drogie obuwie? Tak, właśnie o nich mowa. Złote małżeństwo, by móc razem być, żyć i się kochać, pokonało wiele trudów, tych prywatnych i tych zawodowych. Powiedzmy, że zabawa w zbijanego, choć w ich przypadku raczej odbijanego, to dopiero początek histerii... to znaczy historii. Historii, w której głównymi bohaterami są król, królowa i zła siostra. Dwie ostatnie to role rotacyjne, jak to w bajkach bywa.

Obie panie były znane od morza po góry i lubiane, zwłaszcza żona numer jeden. Przynajmniej wtedy i przynajmniej do czasu. Pan również uchodził za takiego, któremu trzeba kłaniać się w pas. No tak wypadało. Państwo kiedyś świetnie odnajdowali się w trójkącie, ale co za dużo kątów – czy tam kont, tych w banku – to niezdrowo. Jedna żona została więc odstawiona na boczny tor.

Przykra sprawa. Tak przykra, że pół Polski głosowało na panią w plebiscycie Kobieta Biznesu. I pani wygrała. Kilka lat później, już jako żona innego milionera, kupiła firmę, w której pracowała żona numer dwa – i tym razem to ona odstawiła panią na boczek. Czarne chmury pojawiły się nad złotym małżeństwem i ich nowoczesną willą w Konstancinie z grotą solną i basenem z jonizowaną wodą. A że nieszczęścia chodzą parami, panu również powinęła się nóżka i jego spektakularny biznes rozpadł się jak domek z kart. A karty kredytowe spłacać przecież trzeba.

Pani, żona numer dwa, zaczęła imać się robót wszelakich, starając się związać koniec z końcem, ale panu godność nie pozwalała szukać pracy poniżej stanowiska prezesa. W grocie solnej dwoił się i troił, żeby wymyślić taki biznes, przed którym klękajcie narody. Bo pan miał taką zasadę, że albo robi coś na milion procent i za milion złotych, albo nie robi nic.

Miłość nie lubi próżni. Nie lubi też pustej sakwy i wina przed trzynastą. Dlatego trzeba było się ratować i związek małżeński rozwiązać. I tu zaczęły się schody, a dokładniej walka o schody – marmurowe z pięknej willi. A kiedy pani w akcie zemsty kazała zburzyć grotę solną, a pan spuścić wodę z basenu, doszło do rękoczynów. Ten policzek bolał najbardziej. Pani stwierdziła, że taka zniewaga krwi wymaga, i zatrudniła rozwodowego prawnika piranię. Adwokat kosztował tyle, że pani musiała sprzedać swojego range rovera za pół miliona, ale było warto. Adwokat miał taki plan na jej exit, że z byłego męża miała zostać tylko mokra plama na asfalcie.

Ale wtedy do akcji wkroczyli dziennikarze. Zanim pani zdążyła wyjąć całą amunicję, tak obsmarowali ją, jej męża i ich dzieci z każdego małżeństwa, na matkach i dziadkach kończąc, że wściekli małżonkowie musieli ściągnąć cugle. Na własnej skórze się przekonali, że dokazywać to sobie mogą co najwyżej w grocie solnej, a na świeczniku lepiej szabelkami nie machać. Podjęli ostatnią wspólną rozsądną decyzję – rozwiodą się w ciszy. I to takiej, że przez wiele lat nikt nie wiedział, czy ten pan i ta pani są w sobie zakochani. Dopiero informacja o kolejnym lukratywnym ślubie pani przerwała ciąg plotek i spekulacji.

Czas na well done, ostatni, mocno wysmażony stek. Takie jadają miliarderzy z samego Olimpu, błękitna krew.

Wyobraźcie sobie taką historię. Syn pewnego bardzo, ale to bardzo zamożnego biznesmena z Podkarpacia był znanym piosenkarzem, który zakochał się w hollywoodzkiej aktorce. Pani była popularna, podziwiana, nagradzana i obrzydliwie bogata. A jednak kiedy złożyła wizytę rodzinie ukochanego, szczęka jej opadła. Takich ziem, takich stad, karczem, hoteli to ona się nie spodziewała. Co prawda ukochany napomknął, że tatuś ma kilka krów i owieczek, ale pani myślała o sztukach zwierzyny, a nie kilkutysięcznym żywym inwentarzu. Oprócz tego seniora rodu interesowała polityka, więc przez dekady zdążył zabezpieczyć swoją rodzinę na kilka pokoleń do przodu. Kupił między innymi bardzo dobrze rokujące hektary, wtedy ziemi rolnej, teraz idealnie nadającej się pod luksusowe wille, na obrzeżach Konstancina. To była naprawdę dobra inwestycja.

Pani z krainy snów, kiedy wszystko sobie przeliczyła, przymknęła oko na to, że wybranek jej serca jest przeciętnym muzykiem. Przecież przy takim supporcie to fraszka! Zwłaszcza że teściowie byli do rany przyłóż, kochani, cudowni, inteligentni, wykształceni, obyci, zakochani w sobie. Tym większe było zdziwienie syna, kiedy dowiedział się, że seniorzy po czterdziestu latach małżeństwa postanowili się rozstać! I to bez powodu. Przynajmniej tak twierdzili. On zarzekał się i bił w pierś, że nie chodzi o zdradę, ona również przyrzekała na dwa palce, że nadal kocha tatusia. Dopiero kiedy wkroczyły buldogi, a i ją, i jego było stać na najlepsze zaprzęgi, wyszło to i owo. On niby miał kilka małych, nic nieznaczących romansów w swojej małżeńskiej historii, ale prawdziwa burza z piorunami i halnym w tle rozpętała się, kiedy pani poznała o dziesięć lat młodszego od siebie rehabilitanta. To była miłość od drugiego uderzenia młotkiem w kolano. Pani z bólu uroniła łzę, a rehabilitant w tak czuły sposób ją otarł, że rozpłakała się na dobre. Wtedy, w cuchnącym tanim środkiem do dezynfekcji gabineciku, zrozumiała, że przez te wszystkie lata małżeństwa nie zaznała prawdziwej czułości. I albo teraz, albo nigdy.

To ona złożyła papiery rozwodowe, nie chciała walczyć, nie chciała iść na noże. Chciała po prostu wyjść z tego małżeństwa godnie z połową majątku, która należała jej się jak psu buda, i zacząć nowy miłosny etap w swoim życiu. Ale pan powiedział „nie". Kategorycznie. A zamiast połowy majątku złożył jej ofertę dnia: trzy miliony plus dom w Madrycie. Biorąc pod uwagę, że była to jakaś jedna dwusetna jego skarbca, pani parsknęła śmiechem i zaczęła pana punktować. Wyłożyła mu wszystkie zdrady z Kasiami, Aniami i Aldonkami, o których słyszała – i na które miała dowody. Ale ta litania nie zrobiła na miliarderze żadnego wrażenia. Nie wzbogacił oferty dnia nawet o darmowy sok z cytrusów.

Wtedy pani szepnęła mu do uszka zdanie, po którym pan zbladł, potem zrobił się czerwony, potem wyszedł na taras zapalić, choć rzucił dekady temu, potem wychylił seteczkę i dopiero wtedy wrócił do żony, żeby zgodzić się na jedną czwartą majątku i godne alimenty. Pani się zgodziła, nie pytając swojego adwokata o zdanie. Rozwód był dyskretny, szybki i przebiegł z prawdziwą klasą. A co takiego szepnęła pani do uszka panu? Najstarsi górale twierdzą, że pan zaliczył chwilę zapomnienia z gwiazdą, ukochaną swojego syna. Ups...

Dwa miesiące później pani ze swoim nowym narzeczonym przeprowadziła się do Paryża, gdzie założyli modną i snobistyczną galerię sztuki.

Lotu do Polski nie pamiętam, choć nie zmrużyłam oka nawet na sekundę. Podobno gapiłam się w jeden punkt, a na pytania teścia, czy wszystko ze mną okej, nie odpowiadałam. W końcu Fernando odpuścił. Być może zrozumiał, że w tej chwili nie jestem w stanie mówić o tym, co widziałam.

Na lotnisku czekała już na nas limuzyna Julia, ale mojego męża w niej nie było. Wysłał po nas tylko swojego szofera, co nie spodobało się teściowi. Nie wiedziałam, jaki jest plan na ratowanie naszego małżeństwa, co na to Julio i najważniejsze – co na to ja? Czy chcę po raz kolejny wejść do tej samej rzeki? Nie, nie chciałam, ale tym razem chodziło o coś więcej niż tylko o ratowanie małżeństwa. Ja ratowałam swoje życie. Po tym, co widziałam na jachcie, nie miałam żadnych złudzeń, co to za ludzie i dokąd to wszystko prowadzi.

Biedna Laura, pomyślałam o przyjaciółce, czując ścisk w brzuchu. Teraz dobrze rozumiałam jej słowa, kiedy przyjechała do mojego domu, by ostrzec mnie przed samczymi targami. Wtedy wydawało mi się to dziwne, nierealne, nawet przez ułamek sekundy nie spodziewałam się okrucieństwa, które tam zobaczyłam.

Kiedy dojechaliśmy do Konstancina, było już ciemno. Matka usypiała Wiktorię na górze. Przestraszyłam się, kiedy Fernando powiedział mi, że kazał im wrócić do willi Julia. Ale jak twierdził, wszystko musi wyglądać tak, jakbyśmy naprawdę się zeszli.

– Oni będą was obserwować. Wychwycą najmniejszy fałsz – powiedział, kiedy wjeżdżaliśmy do Konstancina.

– Nie rozumiem, jaka to dla nich różnica, czy jestem żoną Julia, czy nie? – zapytałam.

– Kochanie, to przestępcy, świry, psychole, ale oni funkcjonują według ściśle ustalonych zasad. Nie tyka się żony jednego z nich.

– Jednego z nich! – krzyknęłam. – Chcesz powiedzieć, że Julio też jest członkiem tej sekty?

– Nie, nie należy do świty wikinga, ale każdy, kto ma pieniądze i był gościem na tych jachtach, jest jednym z nich. Julio, tak samo jak każdy biznesmen, który próbował robić biznesy z ruskami, musiał przejść przez pierwsze sito na jachtowych imprezach. Ale to, że tam byliśmy, nie oznacza, że korzystaliśmy z wszystkich proponowanych tam atrakcji – dokończył mój teść.

– Atrakcjami nazywasz gwałcenie kobiet i małych dziewczynek? – rzuciłam ostro.

– To nie ja wyznaczam zasady tej gry i to nie ja wszedłem do paszczy lwa, koteczku – odpowiedział lodowatym tonem.

– Odkręcenie tego syfu, którego narobiłaś, nie było ani łatwe, ani tanie, więc przynajmniej teraz, z łaski swojej, rób to, co do ciebie należy. Drugiej szansy nie będzie – dodał, a ja poczułam, że krople potu spływają mi po plecach.

Fernando musiał uprzedzić Julia o naszym powrocie, bo dom znowu przypominał nasz dom. Panował w nim nienaganny porządek. W wazonach stały białe róże, moje ulubione kwiaty, a na kuchennej wyspie tace z owocami. Przechodząc do salonu, zerknęłam na miejsce, gdzie kiedyś stała rzeźba Mitoraja. Teraz ten kąt zajmował wielki fikus. Nie pasował tutaj – podobnie jak ja nie pasowałam już do tego domu.

Przechadzałam się powoli po naszym salonie. Tam, gdzie ostatnio stały butelki po whisky i niedojedzony chińczyk, teraz równo ułożone były albumy od projektantów, jeden nawet nieotwarty. Zerknęłam na okładkę. Najnowszy Tom Ford w limitowanej edycji. Plamy zniknęły z dywanu, poduszki na kanapie były równo ułożone. Salon wyglądał, jakby nikt tu nie mieszkał, nikt z niego nie korzystał. Znowu zrobiło mi się słabo. Szybko weszłam do kuchni, nalałam sobie do szklanki lodowatej wody i wypiłam ją duszkiem.

– Witaj, kochanie – usłyszałam za plecami głos mojej matki.

– Cześć. Wiktoria już śpi? – zapytałam od razu.
– Nie, Julio jej czyta – odpowiedziała i spuściła wzrok na podłogę.
– Pójdę do niej.
– Lepiej zostaw ich samych, jutro się z nią przywitasz. Mała się cieszy, że widzi tatę. Czytają razem bajkę o trzech świnkach...

Mówiła coś jeszcze, ale ja już jej nie słuchałam. Ruszyłam na górę, żeby jak najszybciej przytulić się do mojej córeczki. Już na schodach słyszałam jej słodki głosik i radosny śmiech. Podeszłam cicho do drzwi. Były uchylone, więc mogłam zajrzeć do środka. Moja córka stała na łóżku i chrumkała. Udawała trzecią świnkę. Znała tę bajkę na pamięć, więc niczym rasowa aktorka deklamowała swoją rolę. Była taka szczęśliwa. Julio chodził na czworakach po dywanie, wcielając się w wilka – to akurat do niego pasowało. W normalnych okolicznościach, w normalnym domu, w normalnej rodzinie uznałabym ten widok za słodki. Tu jednak widziałam sam fałsz.

Wycofałam się ostrożnie i weszłam do swojej sypialni. Zamknęłam się na klucz, po czym rzuciłam na łóżko. Nie wiem, jak długo płakałam, wciskając głowę w poduszkę, żeby nikt, a zwłaszcza moja córka, nie zorientował się, że przechodzę kolejne załamanie nerwowe.

Dwie godziny później było już po wszystkim – po rozmowie z teściem i mężem, po kłótni, płaczu i lamencie mojej matki. Moje życie znowu miało zacząć wyglądać jak dawniej. Przyklejony uśmiech, jedwabna bluzka, błyszczące włosy – idealna bohaterka z krainy dobrych zakończeń.

Teść sypnął groszem i kilkoma lukratywnymi biznesami, żeby reanimować pozycję Julia wśród elit. Nie było łatwo, mój mąż przez ostatnie kilka miesięcy prawie całkowicie pogrzebał naszą reputację. Wszystko, na co tak ciężko pracowaliśmy, poszło z dymem. Nikt już nie zapraszał go na brunche, lunche ani bale charytatywne. Nikt nawet nie podawał mu ręki, kiedy mijał go w Konstancinie. Julio był skończony i obawiałam się, że nic i nikt tego nie zmieni.

Wisienką na torcie okazała się historia, którą jakiś czas później usłyszałam przez przypadek u masażystki. Podobno przed naszą willą kilka tygodni temu doszło do skandalu na cały Konstancin. A przynajmniej cały Konstancin śmiał się z tego przez tydzień. A to za sprawą dwóch „lodziarek" (czyli jak pieszczotliwie nazywają samce alfa panie, które za torebkę od Michaela Korsa robią panu w samochodzie loda), które ubzdurały sobie, że mogą mnie zastąpić w roli żony. Oczywiście Julio musiał podsycać ich urojenia – każdej z osobna, rzecz jasna – ale wiadomo, w trakcie pewnych czynności mężczyzna mówi to, co kobieta chce usłyszeć. Dopiero po fakcie, kiedy szampan już wystrzeli, wycofuje się raczkiem.

W każdym razie z paniami raczkiem się nie dało. I kiedy jedna z nich właśnie umilała czas mojemu mężowi, druga podjechała taksówką pod posesję. Z walizką. Wielką walizką. Panie o swoim istnieniu wiedziały i konkurowały ze sobą niczym żona z kochanką. Prześcigały się w elastyczności i gibkości ciał do tego stopnia, że podobno sam zainteresowany nie wiedział, co z tym zrobić i gdzie zaparkować swojego rumaka. W każdym razie dźwięk kółek od walizki uderzających o kostkę brukową przerwał miłosną schadzkę. Pani, która akurat spoczęła na twarzy Julia, zerknęła przez okno. Widok rywalki z walizką tak ją zdenerwował, że niewiele myśląc – i niewiele na siebie zakładając, a przecież moszcząc się na jego twarzy, była golusieńka jak ją Pan Bóg stworzył – wybiegła przed posesję. Kiedy pani z walizką zobaczyła egzotycznie wydepilowane łono swojej rywalki i zorientowała się, co to łono przed chwilą robiło, rzuciła się z pazurami. A że pani była naga i nie było jej za co szarpać, ta od walizki złapała za włosy. Bardzo mocno. Tak mocno, że wyrwała jej garść doczepów. Pani szybko zrewanżowała się tym samym. I zanim Julio – na szczęście w majtkach i koszuli – zdążył wybiec z domu i zainterweniować, doczepy latały po całym frontowym ogrodzie, kilka blond pasm zaczepiło się nawet na czubku miłorzębu japońskiego.

Wściekłe niczym lwice w okresie godowym panie zostały rozdzielone dopiero przez ochroniarzy Julia. A potem – każda w osobnym aucie – wywiezione z Konstancina. Podobno widok dwóch prawie łysych prostytutek, w tym jednej nagusieńkiej, wyjeżdżających spod naszej posesji był bezcenny. Ale ten incydent ostatecznie zadał cios reputacji Julia. I nie tylko dlatego, że mój mąż nie zapanował nad swoimi gośćmi, ale że w ogóle wpuścił je do Konstancina, do swojego domu! Takich rzeczy tutaj się nie robi. Kochanka na mieście, tak. Ale lodziarka w willi to już o wiele za daleko. W końcu każdy konstanciński samiec wie, że nie sra się do własnego gniazda. Julio o tym zapomniał i musiał ponieść karę. Niestety, rykoszetem miałyśmy dostać też ja i nasza córka. I tutaj znowu koło ratunkowe rzucił nam teść, który – jak zaczynałam się przekonywać – doskonale wiedział, jak grają bogacze, czym, z kim i ile to wszystko kosztuje. I muszę przyznać, że ponownie stanął na wysokości zadania.

Konstancin zbudowany jest na prawach i zasadach krwią przypieczętowanych. Tutaj wszystko ma swój czas – czas na leżakowanie, czas na ekspozycję, czas na pomnażanie majątku i czas na jego wyprzedaż. I póki każdy przestrzega tych zasad, wszystko chodzi jak w zegarku. Roleksie z białego złota za pół miliona peelenów. Ale wystarczy jedno małe potknięcie, *faux pas*, nałożenie kaszmirowego swetra z poprzedniego sezonu czy spędzenie wakacji w niewystarczająco luksusowym hotelu, a zaczyna się walić i wyć. I tylko jedna rzecz jest w stanie wymazać winę. Sprawić, że każdy grzech zostanie rozgrzeszony, przewina usprawiedliwiona, zachcianka spełniona. Kasa, gruba kasa. I to najlepiej taka, w blasku której ogrzać się mogą interesy pozostałych samców. To dzięki takiej górze pieniędzy zmęczeni zimą, pracą, skandalami, intrygami konstancinianie znowu zaczynają śpiewać niczym najedzone tłustymi robakami pisklaki. Pałace znów otwierają swoje sale balowe, służba poleruje srebra, odkurza kryształy, pucuje marmury. Pianina zostają nastrojone, a sceny uprzątnięte. Już wkrótce staną na nich kwartety smyczkowe, powiększane o tak modne w tym sezonie harfiarki. Żony Konstancina odstawiają cristala i xanax, za to jeszcze chwiejnym krokiem pędzą do najmodniejszych cudotwórców, u których znowu z brzydkich kaczątek zamieniają się w piękne łabędzie. Sztuczne włosy, najdroższe, te dziewicze, od skandynawskich blondynek – dwieście gramów za dwadzieścia tysięcy – zamówione. Kreacje od najlepszych, to znaczy najdroższych, projektantów – szyją się. I nikogo nie dziwi plotka, że sama Victoria Beckham przyleciała prywatnym samolotem do jednej z konstancińskich księżniczek, żeby odpowiednio doczepić jej do kreacji kołnierzyk. W tym czasie wszystko jest możliwe, a im trudniejsze, tym bardziej pożądane wśród naszych bogaczy prześcigających się w luksusowych dziwactwach, którymi chcą zaskoczyć sąsiadów. Kilogramy rosyjskiego kawioru z jesiotra albinosa posypanego dwudziestoczterokaratowym złotem, który szofer w specjalnych chłodniach wiezie prosto z Moskwy – cena: od trzystu tysięcy za kilogram, dziwi tylko laików. Bogacze podnoszą brew, dopiero kiedy taki kawior na blinach podaje jeden z pięciu najlepszych kucharzy na świecie.

Tak, Polaków stać na ekstrawagancję. Oczywiście niektórych, a konkretnie tych, którzy mają dwupoziomowe apartamenty przy Piątej Alei na Manhattanie, domy w Rzymie, Szwajcarii i Monako. Ich stać na wszystko, zwłaszcza kiedy w śmietance towarzyskiej wyczuwają trufle. Ci najbogatsi pozwalają sobie na nonszalancję, im wypada beknąć w towarzystwie białym kawiorem albo zdjąć buty pod stołem, żeby nic nie zaburzało krążenia w ich złotych żyłach. Oni oczywiście nie kryją się ze swoimi dziwactwami. Im wolno, wiadomo.

Ale wracając do balów wiosennych, letnich, kostiumowych, charytatywnych – tam repertuar wydarzeń towarzyskich jest nieskończony. Przed pandemią modne było wspólne gotowanie pod okiem kucharza z minimum trzema gwiazdkami Michelin. Po pandemii i w trybie wojennym – koronowanie głów, które onegdaj nie miały wstępu nawet do foyer. Nagle w operowych lożach zaczęły pojawiać się twarze do tej pory pokazywane z zasłoniętymi oczami. I ich towarzyszki, które w mig z sutenerek zamieniały się w kamieniczniczki z orderami od prezydentów i medalami za filantropię. Pozwalano na to, co jeszcze dwie dekady wcześniej nie mieściło się elitom w głowie. Urozmaicono towarzystwo. A im bardziej różnorodne towarzystwo, tym mniej widelców przy kolacji. Śmietanka zrozumiała, że aby za szybko się nie zwarzyć, musi być odpowiednio przechowywana. Nic zaś tak nie poprawiało jej urody, zdrowia i humoru, jak dolary, funty, euro – wszystko liczone w milionach na każdą nóżkę. Tyle musiał zapłacić dachowy kot, by stać się perskim kocurem. I lekko znerwicowani bogacze, których biznesy przez embargo na Rosję zostały nadszarpnięte, nie zadawali zbędnych pytań. Nikogo nie interesowało, że nowy sąsiad nie ma konta w banku, tylko garaż pieniędzy – dosłownie. Nieelegancko przecież byłoby zapytać: Jaką branżą pan się trudni? A żona to jakiej narodowości? Najważniejsze, żeby pan albo swoje frycowe zapłacił, albo niczym czarodziejską różdżką ruszył z kopyta pewne niemożliwe temaciki. Niebieska krew o szczegóły nie pyta. Zasada jest jedna: to musi być taki kąsek, żeby każdy lekko wychudzony samiec najadł się do syta. Resztę da się jakoś wytłumaczyć. Elita jest w stanie przyjąć na siebie wszystko, oby tylko liczba wypolerowanych sztuk srebra się zgadzała.

Znana jest historia pana z Trójmiasta, który na konstancińskie ziemie przybył swoim seledynowym lamborghini veneno roadster za pięć milionów dolarów. Pan miał tak wielki złoty zegarek naszpikowany brylantami, że ledwo był w stanie podnieść rękę. W ogóle wygląd pana był ciekawy, zwłaszcza w dzień, bo nocą na widok takiego typa blokuje się drzwi w samochodzie i dzwoni na policję. W każdym razie pan przybył do Konstancina nie sam – towarzyszyła mu wybranka jego serca, przepiękna kobieta o delikatnej, naturalnej, dziewczęcej urodzie. Była tak śliczna i tak świeża, że od razu zaczęli się kręcić wokół niej nie tylko mężczyźni, ale i kobiety. Ci pierwsi, żeby popatrzeć na nowy, świeży towar – te drugie, żeby zdobyć sekret jej urody. Bo na Boga, pani wyglądała, jakby miała czternaście lat! I szybko się okazało, że tyle miała. Pan zresztą tajemnicy z tego nie robił, sam się pochwalił, że „hoduje" sobie dziewicę, którą planuje za rok przebić strzałą Amora. Pierwsza reakcja elity – oburzenie – była godna jej statusu, ale potem co niektórzy zaczęli zerkać na roadstera pana, na brylanty w zegarku, na bogactwo wylewające się z każdego pokoju jego wyremontowanego domu i przymknięto oko na… dziecko przy stole. Rodowodowe damy w perłach jak zawsze skryły złość pod uśmiechem z licówek. W końcu pychą jest oceniać innych. I dzięki takiemu podejściu pycha błyskawicznie zamieniła się w fuchę, a ta zacnie się spieniężyła.

W Konstancinie panuje jeszcze jedna zasada, która choć krwią nieprzypieczętowana, jest czytelna dla wszystkich.

Dotyczy ona blasku fleszy, a konkretnie tego, kto tym blaskiem zarządza. Zazwyczaj wśród elity wiadome jest, że każda bogata rodzina ma w kalendarzu swój czas na zrobienie wrażenia na sąsiadach. U mnie piłeś whisky za trzy tysiące, to teraz ty otwieraj barek i częstuj. Tak to w skrócie działa. Bo nikt, nawet najwięksi bogacze – a zwłaszcza oni – nie lubi wydawać na innych kroci, i to za każdym razem. Tutaj tylko gra zespołowa od balu do balu, od brunchu na polu golfowym do garden party po zawodach polo przyniesie odpowiednio spektakularny efekt. Brokat będzie błyszczał, lukier będzie spływał, piórko będzie powiewało, a jak się do tego sypnie czarodziejskim pyłem, to nawet nianie i pomoce domowe pomaszerują w królewskim orszaku.

I tylko w dwóch przypadkach bogaci z najbogatszych się wyłamują. Pierwszy to ten, kiedy polska pyra chce udawać francuskie purée otulone szafranowym sosem. Taki osobnik zazwyczaj jest nowym graczem na boisku i chce od razu zaliczyć hat tricka, czyli pokazać najlepsze, co ma. Nie chce pokonywać wszystkich towarzyskich szczebli, tylko od razu umościć się wygodnie w nóżkach króla. Oczywiście osobnik ma w tym interes – albo chce zrobić biznes z królem i jemu podobnymi. Ale choć jego sakwa jest pusta, nie chce być jego lennikiem, tylko od razu partnerem biznesowym, i to takim, z którego zdaniem król się liczy. Żeby to osiągnąć, trzeba najpierw zainwestować. Bardzo dużo. Nierzadko pod zastaw takiej inwestycji idzie nie tylko dom, ale także pierwsza i ostatnia koszula ambitnego robaczka. Konstancin zna wiele takich przypadków. Bohaterem najciekawszej historii był pewien biznesmen, który tak desperacko chciał zrobić wrażenie na milionerach w Polsce, że wydał furmankę pieniędzy, żeby zaprzyjaźnić się ze świętej pamięci królową Elżbietą. I udało mu się. „Zaprzyjaźnił" to może za dużo powiedziane, ale na zdjęciach w mediach i w opowieściach pana tak to wyglądało. Bo fakty są takie, że pan uścisnął rękę królowej, wymienił z nią kilka uprzejmości, zrobił parę zdjęć i siedział obok niej w loży. Nieźle, prawda? Czy to jest przyjaźń, czy to jest kochanie? – można by się zastanawiać, gdyby nie fakt, że królowa nawet nie zapamiętała nazwiska swojego towarzysza, o imieniu nie wspominając. Był on dla niej jednym z wielu bogaczy, sponsorów, który miał zakontraktowane krzesełko obok jej krzesełka na meczu polo. I choć dalszej relacji towarzyskiej z Koroną po tym płatnym evencie nie było – ku rozczarowaniu mężczyzny, który notabene wziął wielki kredyt pod tę inwestycję – efekt został osiągnięty. Tłumy na polskiej ziemi oszalały. Pan błyskawicznie z ławki rezerwowej wskoczył do pierwszej ligi. Ochom i achom nie było końca. Każdy chciał zrobić z panem interes albo chociaż interesik, ograć się w blasku jego sławy, uścisnąć mu dłoń, tę samą, co to dłoń królowej Elżbiety ściskała. To zaowocowało wieloma ciekawymi transakcjami, dzięki którym pan spłacił kartę kredytową swoją i swojej żony, oddał długi i prawie stanął na nogi. A kiedy jeszcze zaprosił swoich przyjaciół milionerów na niezobowiązujący rejsik po Morzu Śródziemnym jachtem, który wypożyczył mu inny przyjaciel, multimilioner bez europejskiego dowodu, pan tylko przypieczętował swoją pozycję. W Konstancinie był bardziej popularny od samego prezydenta Polski. „Cóż za fenomenalna kariera, cóż za maniery, szyk i elegancja", szeptano między sobą. Jakby tego było mało, pan zatrudnił tego samego projektanta wnętrz co Madonna, który zrobił z jego domu gniazdko na światowym poziomie. „Co za tapety, co za muszla klozetowa", zachwycali się celebryci, którzy mieli okazję osobiście zawitać w skromnych progach samego przyjaciela królowej. W eter poszła nawet plotka, że pan jest w trakcie negocjacji z Romanem Abramowiczem i chce wykupić od niego klub piłkarski Chelsea F.C. Wydawało się, że po czymś takim pan, jego dzieci i dzieci ich dzieci są ustawieni do końca życia. Niemożliwe wręcz, żeby ktoś mógł taką niewiarygodną karierę zniszczyć. I nikt tego nie chciał zrobić. Nikt, poza CBA oczywiście. Szkoda, że królowa nie wstawiła się za swoim przyjacielem. Może w więzieniu dostałby lepszy pokój albo przynajmniej pachnący papier toaletowy.

Drugim precedensem jest wiszący w powietrzu rozwód. Dotyczy to również obrzydliwie bogatych osób, którym się wydaje, że wystarczy innym zaszeleścić pieniędzmi przed nosem – i nie mówimy tu o drobniakach – żeby skutecznie odwrócić uwagę od clou programu. I w sumie mają rację. Przekonała się o tym para konstancińskich miliarderów, którzy z różnych powodów, tych oczywistych i tych mniej oczywistych, postanowili się rozwieść. Ale było jedno zastrzeżenie: partnerzy biznesowi, prezesi spółek, politycy, lobbyści i cała giełda mogą się o tym incydencie dowiedzieć dopiero minimum dwa lata po rozwodowym exicie. Państwo, żeby zamydlić wszystkim oczy, dwoiło się i troiło, udowadniając, jaką idealną są parą. Zaczęli od świętowania urodzin pani. Nie była to nawet żadna okrągła rocznica, ale i tak od innych polskich milionerów został wynajęty zamek we Włoszech. Goście – obowiązkowo w białych zwiewnych szatach – przylecieli na uroczystość wynajętymi przez gospodarzy jetami. Zamek – w środku i na zewnątrz – oraz ogród ozdobiono białymi peoniami, ulubionymi kwiatami solenizantki. Goście dosłownie w nich tonęli. Jak się później okazało, kwiaty zostały przywiezione czternastoma ciężarówkami z Polski, z konkretnej hodowli peonii pod Wrocławiem. Chyba nie trzeba wspominać, że tego dnia dla gości gotowało aż trzech szefów kuchni, w restauracjach których stolik rezerwuje się z kilkumiesięcznym wyprzedzeniem. Oprócz tego urodziny uświetniła swym występem topowa piosenkarka, której boi się sam Donald Trump. Nieźle, prawda? Ale to nadal nie wszystko. Ci, którzy mieli ochotę potrenować grę w golfa albo chociaż potrzymać kij, mogli skorzystać z usług samego Tigera Woodsa. I pewnie gdyby nie to, że ostatnio Sylvester Stallone niezbyt dobrze się prezentuje, Rocky Balboa uczyłby, jak trzymać gardę. Impreza zorganizowana była z takim przepychem, że włoscy paparazzi byli pewni, iż to kolejny ślub Moniki Bellucci, a nie pięćdziesiąte drugie urodziny żony z Konstancina. Jak później plotkowano, imprezka kosztowała piętnaście milionów złotych.

Ale na tej jednej domówce małżeństwo nie spoczęło. Z podobnym rozmachem i pompą zorganizowali kulig w Aspen, a w pierwszych saniach oprócz państwa sponsorujących całą imprezę siedziała sobie wystylizowana na rosyjską księżniczkę Paris Hilton. Znowu kasa lała się strumieniami, a wszystko po to, żeby wśród elit lotem błyskawicy rozeszła się informacja, jak bardzo zamożni są państwo, jak stabilne są ich interesy i jak gigantyczna jest to fortuna. Tak gigantyczna, że rozwód z podziałem majątku sześćdziesiąt procent dla niego do czterdziestu procent dla niej nie zachwieje ich biznesową pozycją.

I nie zachwiał. Plan się powiódł. Bliscy i dalsi znajomi, zaślepieni bogactwem i rozrzutnością państwa, nie zwrócili uwagi, że pan nie nocuje w willi w Konstancinie już od prawie dwóch lat, a pani nie nosi obrączki tak długo, że już nawet biały ślad na palcu zniknął. Rozwód był cichy i elegancki. Bez świadków.

Pieniądze, którymi sypnął Fernando, również zdziałały cuda. One i możliwość podłączenia interesików Julia do biznesu ojca. W końcu był on jednym z pięciu najbogatszych deweloperów w Hiszpanii, o czym często zapominałam, sama nie wiem dlaczego.

Przed powrotem do domu Fernando wezwał mnie i Julia i przekazał nam dokładną instrukcję dotyczącą tego, jak mamy się zachowywać, co robić, gdzie pokazywać itd., itp. Nie była to łatwa rozmowa, zwłaszcza że nie mieliśmy jeszcze okazji porozmawiać w cztery oczy. Dlatego kiedy mój teść się z nami pożegnał i odjechał limuzyną, odetchnęłam z ulgą. Julio chyba też.

– Musimy pogadać – powiedziałam, kiedy mój mąż otwierał barek, żeby wlać sobie whisky.

– Chcesz się czegoś napić? – zapytał.

– Otwórz pingusa.

– O, widzę, że ojciec nie tylko owinął cię sobie wokół palca, ale też dobrze wyszkolił. – Uśmiechnął się do mnie. Był to pierwszy miły gest z jego strony od bardzo dawna.

– Jaki ojciec, taki syn – odpowiedziałam, również lekko się uśmiechając.

– Na zdrowie. – Julio podał mi kieliszek.

– Myślisz, że wiking i jego świta naprawdę nas obserwują? – zapytałam po wypiciu odrobiny wina.

– Po co mieliby to robić? Ojciec wystarczająco dużo im zapłacił – odparł Julio bez ogródek.

– W takim razie dlaczego Fernando każe nam bawić się w dom?

– Mój ojciec jest biznesmenem, twardym graczem, w sumie, jeśli mam być szczery, kawał chuja z niego, nigdy nie wiem, co mu chodzi po głowie. Zapewne chce, żebyśmy do siebie wrócili. Ale dlaczego? Nie mam zielonego pojęcia. – Julio wzruszył ramionami i wziął łyk whisky. – Tak naprawdę mój stary nigdy cię nie lubił. Kiedy powiedziałem mu, że zamierzam cię poślubić, parsknął śmiechem i zapytał po cholerę.

Nie byłam w stanie ukryć zaskoczenia.

– Naprawdę? A co mu się we mnie nie podobało? – zapytałam drżącym głosem.

– Błagam, mała, serio mam wymieniać? Lista będzie długa – próbował zażartować mój mąż.

– Tak się składa, że odkąd udało mi się wyjść cało z imprezy na jachcie, mam czas. – Nie dawałam się łatwo zbyć.

– No dobrze, ale uprzedzam, sama tego chciałaś. Twój były mąż, twoje pochodzenie, twoja matka, która marzyła tylko o tym, żeby wydać cię za milionera, cała twoja przeszłość...

– Moja przeszłość? – weszłam mu w słowo, coraz bardziej zdumiona.

– Była laska piłkarza, modelka bieliźniana...

– I prawniczka – dorzuciłam na swoją obronę.

– Która nigdy nie pracowała w zawodzie – odbił piłeczkę Julio.

– To dlaczego się ze mną ożeniłeś, skoro tak kiepsko wypadam w twoich rozrachunkach?

Julio spojrzał na mnie uważnie. Było to długie i głębokie spojrzenie. A potem dopił whisky i odparł cicho:

– Bo się w tobie zakochałem.

– A co się właściwie stało, że się odkochałeś? – brnęłam.

– Nie wiem. Może okazałaś się inna, niż się wydawałaś?

– Co masz na myśli?

– Nie taka delikatna i bezbronna.

– Gdybym taka naprawdę była, pewnie już dawno zatłukłbyś mnie na śmierć – wypaliłam.

Julio nagle zrobił się czerwony jak burak. Chciał coś odpyskować, ale się powstrzymał. Machnął tylko ręką i zmienił temat:

– Dobra, nasze małżeństwo to już przeszłość. Ani ty, ani ja nie chcemy do tego wracać. Przetrwajmy ten okres pod jednym dachem w spokoju. Zasady są jasne. Przez jakiś czas udajemy, że do siebie wróciliśmy, a potem, jak kurz opadnie, rozwodzimy się jak cywilizowani ludzie.

Po tych słowach wziął butelkę whisky i poszedł do swojego pokoju.

Nie wiem, dlaczego zabolało mnie to, co powiedział. Naprawdę nic już dla niego nie znaczyłam? Przecież to ja miałam powody, żeby go nienawidzić. Nie na odwrót.

Siedziałam w salonie jeszcze dobrą godzinę. I nie tylko dlatego, że miałam pingusa. Po prostu nie mogłam się ruszyć. Nie potrafiłam wyobrazić sobie tego, jak ma wyglądać nasze życie przez najbliższe cztery miesiące. Bo tyle kazał nam być ze sobą teść. Po tym czasie sami zdecydujemy, czy chcemy kontynuować nasze małżeństwo, czy je zakończyć. Chociaż ta decyzja już zapadła. Został nam zatem show. I musieliśmy dać z siebie milion procent. Każdy, łącznie z moją matką i Wiktorią, miał uwierzyć, że wróciliśmy do siebie. Nikt nie mógł poznać prawdy. Mieliśmy się pojawiać na mieście, chodzić na imprezy, bale, ba! – sami mieliśmy zorganizować jeden na otwarcie sezonu.

W normalnych okolicznościach nigdy bym się na to nie zgodziła. Bałabym się porażki, tego, że Konstancin wypnie się na mnie po raz kolejny. Na mnie i na Julia, który ostatnio pokazał, na co go stać. Fernando jednak był pewien, że towarzystwo powita nas z powrotem z otwartymi ramionami. W końcu kto by pamiętał o skandalach sprzed kilku miesięcy – teraz żyje się nowymi intrygami i aferami.

Mnie jednak cały czas brzęczały w głowie słowa Julia. Czy naprawdę mój teść uważał, że nie jestem odpowiednią partią dla jego syna? Nigdy nie dał mi tego odczuć. Szanowna Królowa Matka tak, ale Fernando? Byłam pewna, że mnie lubi i szanuje. Jeżeli faktycznie jest tak, jak powiedział mój mąż, to po co cała ta szopka? Jaki interes może mieć Fernando w tym, żebyśmy byli razem?

Za dużo pytań jak na tak późną porę, pomyślałam. Schowałam resztę wina do lodówki, kieliszek wstawiłam do zmywarki i poszłam do swojej sypialni. Ale choć byłam potwornie zmęczona, nie mogłam zasnąć. Znowu czułam niepokój, bałam się, że jestem rozgrywana przez graczy, którym nie dorastam do pięt. Że toczy się tu jakaś podwójna gra, o której zasadach zapomnieli mnie poinformować. Wiedziałam, że jeśli coś się teraz wydarzy, jeśli zaliczę choćby jedną wpadkę, nikt mi nie pomoże. Na matkę jak zwykle nie mogę liczyć. Była tak skoncentrowana na profitach płynących z roli teściowej milionera, że nie mogłam jej już ufać. Widziałam, jak się zachowuje przy Fernandzie – gdyby tylko mogła, padłaby mu do nóg i całowała po piętach. Julio miał rację – moja matka zachowuje się jak pani Bennet z *Dumy i uprzedzenia*. Pierwsze zdanie z tej książki „Jest prawdą powszechnie znaną, że samotnemu a bogatemu mężczyźnie brak do szczęścia tylko żony"[*] to jej życiowa dewiza. Szkoda tylko, że wciela ją w życie moimi rękoma.

---

[*] J. Austen, *Duma i uprzedzenie*, przeł. A. Przedpełska-Trzeciakowska, Warszawa 2021.

Ale mniejsza o matkę, przez te wszystkie lata zdążyłam przyzwyczaić się do tego, że mogę liczyć tylko na siebie. Muszę być czujna, mieć oczy dookoła głowy i nie dać Fernandowi żadnego, choćby najmniejszego powodu, żeby uznał naszą umowę za nieważną. A wyraził się jasno...

– Jeżeli przez te cztery miesiące wspólnie zdecydujecie, że nie da się uratować waszego związku, pomogę wam się po cichu rozwieść – powiedział. – I będzie tak, jak zostało zapisane w intercyzie. Julio, przypominam ci, że twojej żonie należy się trzydzieści procent twojego majątku i alimenty w wysokości pięćdziesięciu tysięcy na Wiktorię. Nie wywiniesz się z tego, więc radzę wam obojgu powściągnąć emocje i dokładnie przemyśleć sobie, czego chcecie. Bo widzę, że oboje macie tendencje do rozwalania sobie życia.

– Przyganiał kocioł garnkowi – odpowiedział na to Julio.

– Tak, wiem, że popełniłem sporo błędów, ale za każdy słono zapłaciłem i odpokutowałem. Powinieneś się cieszyć, że chcę dla mojego jedynego syna lepszego życia niż to, które sam miałem.

No właśnie – dla jego jedynego syna. Czy Fernando naprawdę zachowa się uczciwie i nie wykorzysta tego, co mu powiedziałam o nocy spędzonej w Paryżu w hotelu Four Season? W końcu, jak by nie patrzeć, to w trakcie małżeństwa z jego synem przespałam się tam z innym mężczyzną. I sama się do tego przyznałam. A jeśli nagrał moje wyznanie i puści je mojemu mężowi? Nie wspominając już o tym, że sama zdrada wystarczy, by podważyć intercyzę. Muszę być czujna, skupiona i zabezpieczona, postanowiłam. Nie mogę zaufać nikomu. A już na pewno nie swojemu mężowi i jego ojcu. Muszę się bronić. Nad ranem byłam już tak nabuzowana i pewna tego, że jestem oszukiwana, że zaczęłam szukać terapeuty i prawnika. Jak mawia Beata Tyszkiewicz, pierwsza dama polskiego kina, „kobieta zawsze musi mieć przy sobie drobne na taksówkę". Tego postanowiłam się trzymać.

Milionerzy z Konstancina coachują się na potęgę. Inwestują swój drogocenny czas w warsztaty na Bali, campy w Bieszczadach i eventy w najważniejszych stolicach świata prowadzone przez guru samego guru. Spotkania online, szkolenia ze świadomego oddychania, biernej agresji, opanowania stresu, kiedy już botoks wstrzykiwany w nadpotliwe dłonie nie wystarcza, i oczywiście najskuteczniejsze metody manipulacji. Na koniec, kiedy wszystkie te kursy mają już w małym paluszku, dla poprawy statystyk i uciszenia własnego sumienia zapisują się na szkolenie z życia w zgodzie z naturą albo cieszenia się z małych drobnostek. Nawet ci skąpi miliarderzy, a takich jest w bród, wiedzą, że inwestycja w siebie to najlepsza lokata.

Mając tak wyedukowanego gracza na drugiej połowie łóżka, samica Konstancina powinna być czujna. A najlepiej sama się doszkolić. I udoskonalić swoje taktyki. Całe szczęście są na to sposoby. Żony bogaczy jednak mniej ufają coachom, a bardziej stawiają na tarota w towarzystwie Dom Perignon lub terapeutę. Chociaż w tym drugim przypadku znalezienie odpowiedniego czasami jest trudniejsze niż znalezienie męża. Bo idealny terapeuta lub terapeutka (panie chętniej wybierają panie) to najczęściej jedyna osoba, której ufasz, i jedyna, która godnie przeprowadzi cię przez rozwód.

Wśród bogaczek liczy się tylko kilka nazwisk. Są to terapeutki, które najczęściej nigdzie się nie reklamują, mają gabinety w dyskretnych lokalizacjach i odbiorą telefon od swojej klientki nawet o drugiej w nocy. Wszak Konstancin nigdy nie śpi, a największe tragedie i skandale odbywają się pod osłoną nocy. Trafić na listę oczekujących do takiego „lekarza duszy i serca" jest trudniej, niż znaleźć się w kolejce po torbę od Hermèsa ze skóry strusia za prawie milion złotych. W tym pierwszym przypadku pieniądze naprawdę nie grają głównej roli. No dobra, jakąś tam grają – w końcu wybieramy spośród samych bogaczek – ale na pewno inne rekomendacje też są mile widziane. Taka klientka musi zostać przez inną wpływową klientkę polecona. Specjalistka najpierw sama robi tak zwany brief. W jaki sposób? To już tajemnica zawodowa, ale jedna z byłych klientek pewnej terapeutki uderzała się w pierś, twierdząc, że ta wynajęła detektywa, który zebrał konieczne dane na jej temat. Terapeutka oczywiście kategorycznie zaprzeczyła tym plotkom, jednak jakimś sposobem była wyjątkowo dobrze poinformowana.

Po indywidualnym briefie terapeutka zaprasza panią na pierwszą z trzech konsultacji, w trakcie których panie obwąchują się nawzajem, sprawdzają, czy są w stanie sobie zaufać, czy problem, z którym przychodzi klientka, jest faktycznie problemem, czy może jedynie potrzebą wygadania się komuś. Oczywiście do takiego wygadania terapeutka jak najbardziej się nadaje i w sumie od tego jest, żeby wysłuchać. Ale nie TA. Ta nie marnuje czasu na panie, których nikt już nie chce słuchać i dlatego muszą za to płacić. Jest zresztą taka znana konstancińska żona, która potrafi funkcjonować tylko wśród swojej świty. Potrzebuje co najmniej kilku dam dworu, które muszą mieć wystarczająco dużo czasu, siły i cierpliwości, żeby wysłuchiwać jej życiowych dylematów i rozterek. Czy baletki od Chanel nie skracają mi stopy? Czy na proszony obiad do państwa M. mogę okryć ramiona jedwabnym szalem? Który sport w tym sezonie jest najmodniejszy? Pilates w chustach czy padel? Lubimy już tę nową żonkę sąsiada spod 7A czy jeszcze jej nie lubimy? Pytania się nie kończą, a odpowiedzi pani wymaga precyzyjnych i płynących prosto z serca. Takie rady i porady chętnie są opłacane, najlepiej markowymi torebkami. O dziwo, tylko wyrównany rachunek daje pani gwarancję szczerej opinii.

Dlatego kiedy już wszystkie koleżanki, niania, opiekunki, fryzjerki, masażystki i panie od hybrydy zostały obdarowane torebeczkami i breloczkami od Louisa Vuittona, pani zrobiła sobie rajd po topowych terapeutkach. I jak wielkie było jej zaskoczenie, gdy pomimo portfela wypełnionego odpowiednimi nominałami żaden psycholog nie zdecydował się nawiązać z nią dłuższej relacji!

Kiedy już formalności mamy za sobą, pani w potrzebie wszystkie egzaminy zdała śpiewająco i jej wychudzony zadek jest godny zasiąść na kozetce, na której wcześniej siedziały inne milionerki z Konstancina, terapeutka dostaje do podpisania papiery. Bo wiadomo, tajemnica tajemnicą, ale kiedy pani wie, że za puszczenie farby słono zapłaci, to na branżowych imprezach nie opowiada historii klientki jako anegdot. Nawet bez podawania inicjałów. Strzeżonego Pan Bóg strzeże.

Ale wróćmy do gabinetu. Na zbudowanie prawdziwej więzi z klientem terapeuta lub terapeutka gwiazd potrzebuje czasu. Niekiedy czas ten liczony jest w latach – i zapewne w bardzo okrągłych sumkach. Terapia dla milionerów to koszt nawet kilku tysięcy za wizytę.

Ale milionerka wie, za co płaci. Tutaj nie ma obijania się. „Nie przyszłaś, kochana, żeby sobie na kanapie poleżeć!" – aż krzyczą oczy terapeutki. Tutaj plan naprawczy jest po brzegi wypełniony ćwiczeniami, fiszkami, wizualizacjami oraz motywującymi cytatami. I można sobie z tego żartować, ale prawda jest taka, że dziewięćdziesiąt procent księżniczek z Konstancina naprawdę potrzebuje takiej terapii. I koniecznie powinny ją zacząć już na początku związku małżeńskiego. Wtedy jest szansa, że system elit nie przepuści ich przez niszczarkę. A przynajmniej nie w pierwszym sezonie.

A co, kiedy klientka trafia do takiej terapeutki w momencie, gdy jej związek chyli się ku upadkowi albo jest już skończony i musi walczyć o majątek, ale na razie walczy o to, żeby wstać z łóżka? No wtedy to się dzieje! Takie klientki nierzadko przyjmowane są pro bono. I nie tylko dlatego, że żona, doczołgując się (nie ma tu drwiny, sama przeszłam tę drogę) do terapeutki, jest biedna jak mysz kościelna. Często nie stać jej już nawet na ubera, bo mąż zdążył zablokować wszystkie jej karty. Takie sprawy dobrze terapeutce robią wizerunkowo, dlatego od czasu do czasu zdarza się cud nad Wisłą i porzucona kobieta trafia w ręce eksperta za free. A wtedy wszystko może się zdarzyć.

Oczywiście są pewne zasady, których żaden terapeuta – ani ten pracujący za pełną monet świnkę skarbonkę, ani ten wspierający za dobry uczynek – nie złamie. A mianowicie nikt nie powie pacjentowi, co ma robić ani jak żyć. Jeżeli pani nie wie, czy chce się rozwieść, i potrzebuje porady, to lepiej, żeby za darmoszkę poradziła się przyjaciółki, matki, pani z zieleniaka, swojego wewnętrznego dziecka, a nie terapeutki. Ona nie podejmie za panią decyzji. Choć pewnie wielokrotnie gryzła się w język, żeby nie powiedzieć czegoś, co wstrząsnęłoby panią. I tutaj zaczynają się schody. Bo często bogacze uważają, że im wolno więcej niż zwykłemu zjadaczowi kotleta mielonego. Więcej – bo do tego się przyzwyczaili, na to zasługują i przede wszystkim za to płacą. I to grubą kasę. Dlatego sprzeciw jest dla nich nie do przyjęcia.

Tutaj aż się sama nasuwa anegdota, której bohaterem jest znany polityk. Znany i bogaty, bo zanim wszedł do Sejmu, swoje zdążył zarobić. Pan bardzo chciał mieć nieskazitelną reputację, Bogiem i dobrymi uczynkami podszytą. Ale zamiast czynić dobro, pan wplątał się w romans, i to z mężatką z bliźniakami. Oprócz tego miał oczywiście swoją żonę i swoje dzieci, i swoje podwórko do posprzątania. Ale to był taki przyjemny romans. Pan znowu poczuł wiatr w swoim żaglu, a wydawało mu się, że jego czas w tych tematach już nieubłagalnie minął. Poczuł tak wielką moc, że nie potrafił odstawić swojego nowego nałogu. Nałóg miał na imię Agata i był bardzo apetyczną kobietą po czterdziestce. Pan modlił się codziennie, do kościoła chodził, na tacę wrzucał i wiedział, że źle robi. Niegodnie do tego stopnia, że zaczął unikać konfesjonału jak diabeł święconej wody. A do tej pory zbierał w kościele wszystkie piątki miesiąca. Pan miał taki dylemat, że przestał spać i jeść. Schudł, zżółkł, coś, co miało mu służyć, stanęło mu ością w gardle. Nie potrafił zachować się jak mężczyzna – nie umiał ani zakończyć romansu, ani małżeństwa, ani żyć dalej w grzechu. Tak się z tym męczył, że w końcu zapisał się do psychologa, oczywiście z polecenia i oczywiście do tego od VIP-ów. Przez kilka wizyt leżał jak kłoda na kozetce i jęczał, że nie wie, co ma zrobić. Psycholog zaś robił, co mógł – podrzucał mu okruszki chleba pod nogi, zadawał coraz mniej otwarte pytania, a nawet wspólnie przeszli przez wizualizację życia pana z Agatą i żoną Haliną, ale pan nadal nie potrafił podjąć decyzji. W końcu na dziewiątej wizycie nie wytrzymał – krzyknął, że on ma gdzieś taką terapię i psycholog ma mu natychmiast powiedzieć, co ma zrobić! Kiedy zaskoczony terapeuta tłumaczył, że nie może mu odpowiedzieć na to pytanie i że sam musi spojrzeć w głąb siebie, bo tam na pewno znajdzie odpowiedź, pan powiedział, że spojrzy w lustro i przyjdzie jutro z podjętą decyzją. I przyszedł, ale zamiast decyzji przyniósł ze sobą walizkę z milionem złotych. Położył ją z hukiem przed psychologiem i wykrzyknął w obłędzie:

– Bierz i mów, co mam robić!

Lekarz spojrzał na walizkę, przesunął ją w swoją stronę i odparł:

– Zmień psychologa. Oto moja rada.

Pan spojrzał na niego oszołomiony, a potem wybuchnął śmiechem i ruszył w kierunku wyjścia. Kiedy psycholog powiedział mu, żeby zabrał swoje pieniądze, odparł, że know-how kosztuje, i wyszedł, głośno trzaskając drzwiami.

Ta historia wydarzyła się ponad dziesięć lat temu, a nadal żyje w opowieściach terapeutów i nie tylko. W każdym razie nasza pani terapeutka anegdotkę oczywiście znała, bo słyszała ją wiele razy od swoich lekko wstawionych kolegów na sympozjach naukowych, ale metody tej nie stosowała. Miała tak pracować z panią – wzmocnić jej poczucie własnej wartości, a często wręcz zbudować je na nowo – by ta sama zrozumiała, że zdrada męża to nie jej wina. I to jest naprawdę ciężka praca, podczas której zostaje wylane morze łez w gabinecie, a w domu morze cristala. Ale krok po kroku, ze spotkania na spotkanie, pani widzi coraz więcej i coraz wyraźniej. Wie już na przykład, że jest ofiarą przemocy psychicznej i ekonomicznej. Że przez trzydzieści lat była traktowana przez męża instrumentalnie, a matka używała jej do swoich celów. Klapki się otwierają, pani łączy kropki. Niektórym wystarczy na to kilka wizyt, inne potrzebują lat, żeby odstawić tabletki przeciwlękowe i zainwestować w siebie. Dobra terapeutka widzi każdy, najmniejszy nawet postęp i tylko czeka, aż klientka z jej pomocą dojdzie do konkretnych wniosków – że chce zawalczyć o siebie, chce się rozwieść, chce się odciąć od matki, chce odstawić cristala, chce żyć godnie. A kiedy te magiczne słowa wypłyną z ust pani, zaczyna się prawdziwe planowanie.

I tutaj rola terapeuty jest nieoceniona, zwłaszcza że pani, której klapki z oczu spadły ledwie dwa kwadranse temu, chce działać błyskawicznie. Wyprowadzić się z domu już, dzisiaj! Jutro z samego rana złożyć papiery rozwodowe. Bez chwili zwłoki odciąć się od toksycznej matki. W końcu pomyśleć o sobie. I chwała jej za to. Na szczęście wtedy cała na biało wchodzi terapeutka i zadaje bardzo konkretne pytania. Rozumiem, że masz się gdzie wyprowadzić? Posiadasz oszczędności, które pozwolą ci przetrwać czas do momentu, aż pójdziesz do pracy i zaczniesz zarabiać? Masz odłożone pieniądze na rozwód i dowody, świadków na niewierność męża albo przemoc? Jeżeli pani na wszystkie pytania odpowie „tak", to świetnie, jesteśmy w domu. W jej nowym domu. Ale najczęściej na każde pytanie pada odpowiedź „nie". Panie nie znają prawa, nie wiedzą, że jak same wyprowadzą się z domu, to mąż może ich już do niego nie wpuścić. A przede wszystkim nie zdają sobie sprawy, że rozwody, zwłaszcza rozwody milionerów, ciągną się latami, są krwawe, okrutne i potwornie drogie. W tym czasie czarne i złote karty kredytowe, którymi do tej pory tak biegle władały, przestają działać. A jeżeli do tego dochodzi jeszcze walka o dzieci, to naprawdę nikt nie bierze jeńców. Trzeba być przygotowanym na wszystko.

Jeżeli więc twojemu życiu nie zagraża realne niebezpieczeństwo, nie wyprowadzaj się na wariata, chyba że zgodzisz się na nowy rozdział, bez pieniędzy i tego wszystkiego, co razem budowaliście albo po prostu ci się należy z racji bycia żoną. Być może masz inny pomysł na siebie, to cudownie. *Good luck*. Ale jeżeli tak nie jest, a jedyne, co tobą kieruje, to zraniona duma, urażone ego i chęć zemsty, to napij się wody albo weź lodowaty prysznic.

Pamiętasz scenę z *Małych kłamstewek*? Celeste, grana przez Nicole Kidman, kobieta z przemocowego związku, rozważała odejście od męża. Terapeutka, do której chodziła, kazała jej przed podjęciem decyzji wynająć mieszkanie, umeblować je i zapełnić lodówkę jedzeniem dla siebie i dzieci. Po to, żeby miała gdzie się schronić w sytuacji kryzysowej. Mając plan i poduszkę finansową, dzięki której przetrwasz minimum rok, odkryjesz w sobie siłę, o jaką siebie nie podejrzewałaś. A to dopiero pierwszy krok.

Drugi to zbieranie dowodów. Bije cię mąż? Zamiast go tłumaczyć i brać odpowiedzialność na siebie, jedź do szpitala i zrób obdukcję. Zadzwoń na policję albo przynajmniej powiedz, a najlepiej napisz o tym przyjaciółce, niani swojego dziecka, teściowej. To są potencjalni świadkowie, których w przyszłości możesz wezwać do sądu. Wiesz, że mąż cię zdradza? Zdobądź na to papiery. Masz SMS-y, zdjęcia? W sądzie liczy się tylko to, co jesteś w stanie udokumentować. I bądź pewna, twój mąż wykorzysta wszystko, co wie na twój temat. Zwierzyłaś mu się, że kiedy był w delegacji, wypiłaś za dużo wina wieczorem, a dzieci spały na górze? Bum! On wyciągnie to w sądzie! W ramach żartu palnęłaś, że jesteś beznadziejną matką? Nie bój się, to wyznanie też ujrzy światło dzienne. Powiedziałaś mu kiedyś, wykończona ząbkowaniem Tomeczka, że czasami masz ochotę go udusić? O tym też z całą pewnością dowie się sędzia. A może jeszcze się okaże, co wśród bogaczy zdarza się nader często, że twój mąż wszystko nagrywał. Tak, zainstalował kamery, o których nie wiedziałaś, w salonie, pokoju dziecięcym, może nawet w sypialni. I co? Jak ci z tym jest? W takich warunkach to nawet święta Teresa nie byłaby taka święta. A co dopiero ty, zwykła kobieta, zmęczona matka, zdradzana żona. Dlatego tutaj emocje muszą zejść na dalszy plan. A ty, asekurowana sugestiami specjalisty, który na tym biznesie zjadł zęby, będziesz dobrze prowadzona. Bo o to chodzi w tych wszystkich terapiach – żebyś miała siłę z ofiary stać się kowalem własnego losu. Na własnych warunkach, we własnym rytmie, w zgodzie ze swoimi przekonaniami.

Odpowiedni terapeuta da ci też namiary na odpowiedniego prawnika, który nie boi się pójść na czołówkę z mężem milionerem. Ale o prawnikach VIP-ów będzie później. A teraz w ramach testu posłuchaj kolejnej historii.

Pewna była żona z Konstancina zaprzyjaźniła się z pewną kochanką wpływowego pana. Pan na kosmetykach dla Polek i Polaków zarobił krocie. A właściwie zarobili – on i jego pierwsza żona. Bo biznes rozkręcali w garażu razem. Pan, choć przy pięknych młodych kobietach zapominał, że jest mężem, nie zapomniał, kto z nim za młodu nocami zakręcał słoiczki kremów. Dlatego pierwsza żona finansowo była nietykalna. Po latach jego zdrad – i być może jej też – państwo postanowili się rozstać. W końcu firma ich jak lokomotywa w wierszu Tuwima – „ciężka, ogromna i pot z niej spływa. Tłusta oliwa". Było więc się czym dzielić bez uszczerbku dla macierzy. Ale małżonkowie tak bardzo kochali swoje pierwsze biznesowe dziecko, że zdecydowali się na inne rozwiązanie. Firma będzie wspólna, zarządzana przez nich wespół w zespół, ale nie będziemy jej członkować żadnym rozwodem i podziałem majątku. Wszak to niepotrzebna histeria. My, dorośli ludzie, możemy tę sprawę rozwiązać inaczej. Biznesowo jesteśmy razem, prywatnie osobno. Każdy poza firmą ma prawo żyć po swojemu i z kim mu się podoba. Pan zatem szybko związał się z młodszą od siebie o dwadzieścia lat kobietą, ale biorąc pod uwagę metrykę – a ta niemiłosiernie u pana pokazywała sześćdziesiąt lat – nie taka to znowu małolata. Żona numer dwa, choć formalnie kochanka, miała już na koncie jednego męża i trójkę dzieci z nim. Ale dla nowej miłości postarała się jeszcze o dwójkę piskląt, choć gdy wiła ostatnie, najstarsze było już w wieku Naomi Campbell jadącej na porodówkę. Ale pani wiedziała, że jako żona-nieżona po śmierci małżonka-niemałżonka dostanie tylko apartamencik, w którym mieszka, dwa miliony na otarcie łez i alimenty na dzieci. A w tym temacie sprytny pan przedsiębiorca nie oszczędzał. Dlatego maluszki nie tylko radowały serca państwa, ale także były konkretną lokatą dla pani i zabezpieczeniem na jej rychłą emeryturę. Pani jednak nie była szczęśliwa, choć jod wdychała przez dziesięć miesięcy w roku, ponieważ dochodziły do niej niepokojące plotki. Jedna z nich głosiła, że pan znowu ulokował swoje uczucia w młodszym surowcu – druga, znacznie gorsza, że na stare lata postanowił wrócić do żony. Pierwszy scenariusz pani była jeszcze w stanie przełknąć albo po swojemu unieważnić, ale druga opcja to był prawdziwy oddech smoka na plecach. Żona była nie do ruszenia, jej pozycja nigdy nie została zachwiana, a mąż-niemąż zawsze wypowiadał się o niej z szacunkiem, na który kochanka jakoś nie potrafiła sobie zapracować. Być może dlatego, że żona całe życie była czynna zawodowo, nie spoczęła na laurach, pracowała, rozwijała się, a kochanka poza wydawaniem pieniędzy męża-niemęża i dyspozycjami dla niań nie zajmowała się niczym, co wzbudziłoby podziw pana.

I choć przyjaciółki kochanki, a było ich sporo, zwłaszcza kiedy pani zapraszała je do wspólnego wdychania jodu, sugerowały, żeby pani poszła na terapię, zatrudniła prawnika, poradziła się innych byłych żon i kochanek, którym udało się godnie i na własnych warunkach zejść na ląd, pani wybrała inne rozwiązanie.

Zadzwoniła do byłego męża byłej już przyjaciółki i oczerniła panią, matkę samotnie wychowującą dziecko, ba! – powiedziała byłemu mężowi, że z przyjemnością to, co wie, powie w sądzie. Kochanka liczyła, że mąż przyjaciółki za taki wspaniałomyślny gest zrewanżuje się tym samym w jej sprawie. Ale takie numery w Konstancinie nie przechodzą. Wśród elit lotem błyskawicy rozeszła się fama o strzelającej ślepakami kochance na wylocie. A nic tak nie oburza i nie stresuje bogaczy jak brak lojalności i kablowanie.

Pani błyskawicznie została wysłana na karnego jeżyka i samotnie siedzi tam do dzisiaj. A wystarczyło iść za radą przyjaciółek i wybrać się do terapeuty. Wtedy zemsta miałaby smak trufli doprawionych szafranem, a nie czipsów octowych, których nie trawi nawet ich producent. No cóż, kto pod kim dołki kopie, ten sam w nie wpada. I to po pachy.

Pierwsze, co musiałam zrobić, by potwierdzić swój powrót do Konstancina, to pokazać się na mieście. A nie ma lepszego miejsca na zaznaczenie swojej obecności niż zakupy w Starej Papierni. Rano wstałam wcześniej niż wszyscy i zaczęłam się skrupulatnie szykować. Pół godziny stałam pod prysznicem, zlewając się na zmianę zimną i gorącą wodą. W ten sposób chciałam nie tylko poruszyć swoje ciało do działania, ale przede wszystkim okiełznać lęk i stres. Kiedy pierwszy punkt z listy został odhaczony, wzięłam się za włosy. Za każdym razem, gdy robię sobie hollywoodzkie loki, dziękuję Bogu, że stworzył człowieka, który wymyślił suszarkę Dysona. Potem delikatny, niewidoczny makijaż, a przynajmniej taki, który wygląda na niewidoczny, bo tak naprawdę jest misternie skonstruowaną maską, pod którą żony Konstancina ukrywają wszystko. Zaczynając od spodu: tonik, esencja nawilżająca, serum, witamina C, krem nawilżający, korektor, podkład z filtrem, bronzer, róż, rozświetlacz i na koniec baza, która to wszystko utrzyma w ryzach przez co najmniej osiem godzin. Potem eyeliner, cienie do powiek, tusz do rzęs i na koniec błyszczyk od Diora. Uff... Całkiem nieźle.

Teraz ta rozgrzana kotka musiała założyć coś na grzbiet. Najlepiej coś takiego, czego nie wypalą ogniste spojrzenia dam Konstancina. Funkcję pancernej zbroi idealnie spełnił dresik od Fendi za osiem tysięcy plus wygodne sportowe buty z logo Gucci za kolejne cztery. Ten miejski *look* okrasiłam biżuterią, a w tej kwestii tutaj standardy są mocno wyśrubowane. Księżniczki Konstancina nie wychodzą z domu, jeżeli błyszczy na nich mniej niż pół miliona. Ja nie oszczędzałam – razem z zegarkiem i brylantami w uszach miałam na sobie ponad bańkę.

Tak odpicowana robiłam zakupy w Darach Posejdona. To tu zaopatruje się każda szanująca się żona Konstancina, która chce uszczęśliwić swoją rodzinę, kupując od delikatnego sea bassa dla trzódki, krewetek dla siebie – by mogła udawać, że coś je, po najlepsze ostrygi i kawior Antonius dla męża, by wiedział, na co idą jego pieniądze. Po drodze, żeby mieć pewność, że największe plotkary zarejestrowały moją obecność, wpadłam jeszcze do kwiaciarni. Było parę minut po dziewiątej, a ja już dostarczyłam księżniczkom tematów do rozmów na przynajmniej trzy dni. Fantastycznie.

Zadowolona, podjechałam pod willę Betty. Nie odzywałam się do niej od jakiegoś czasu. Przyjaciółka nie wiedziała o moim spotkaniu z Laurą ani o odwiedzinach u teścia. Niestety, tak musiało zostać. Fernando zakazał mówić o tym komukolwiek.

– Na miłość boską, co ty odpieprzasz? – wypaliła Betty, gdy tylko przekroczyłam próg. – Jednoczysz się z wrogiem?

Oszalałaś? Przecież twojemu teściowi można ufać tak samo jak temu ruskowi od wikinga, który mnie bzykał całą noc! – nawijała, nie zwracając uwagi na moją zaskoczoną minę.

– Betty, o czym ty mówisz? – próbowałam wybadać grunt.

Mojej przyjaciółce chyba się to nie spodobało, bo spojrzała na mnie w taki sposób, że nie zostało mi nic innego, jak tylko podnieść ręce w geście kapitulacji.

Betty podeszła do lodówki, wyjęła z niej cristala i nalała nam po lampce.

– Rozmawiałam z Laurą – powiedziała już łagodniej. – Wiem, że byłaś na jachcie.

Kiwnęłam głową, a potem... wybuchnęłam płaczem. Przed oczami znowu stanęły mi obrazy, które od tamtego czasu starałam się wyrzucić z głowy. Bezskutecznie.

– Niezły pasztet – podsumowała moja przyjaciółka i dolała sobie szampana. – I co? Teraz zamierzasz wrócić do Julia i modlić się, żeby to wystarczyło? – zapytała, ale widząc moją reakcję, zaraz sprostowała: – Okej, nie zamierzasz wracać do niego naprawdę, będziesz tylko udawać.

– Będziemy – poprawiłam ją. – Julio też nie zamierza ratować naszego małżeństwa. Zrobimy to, co każe nam Fernando, a potem po cichu się rozwiedziemy.

– Załóż spadochron, dobrze ci radzę, bo to nie będzie miękkie lądowanie – powiedziała Betty, sięgając do torebki po swojego dawnego przyjaciela.

– Co ty robisz?! – krzyknęłam. – Tak dobrze ci szło! Chcesz to wszystko zaprzepaścić właśnie teraz, kiedy jesteś mi potrzebna trzeźwa i nienaćpana?!

Ona jednak tylko się głupio uśmiechnęła.

– Ja też muszę mieć jakąś przyjemność z tego, że wszyscy mnie ruchają – powiedziała, a ja poczułam, że nie mówi tylko o wieczorze w Paryżu, ale także, a może zwłaszcza, o tym, co się dzieje teraz.

– Wiesz może, co słychać u Laury? – zapytałam po chwili.

– Powiem tak: zapomnijmy o niej. Laura musi sama się wydostać z tego gówna. My jej nie pomożemy.

– Sama? Zwariowałaś? – krzyknęłam. – Ona nic sama nie zrobi! Wiesz, co się dzieje na tym jachcie?

– Nie mów mi. – Moja przyjaciółka gwałtownie pokręciła głową, unosząc dłonie. – Im mniej wiesz, tym krócej zeznajesz.

– Betty, nie możemy zostawić tam Laury… – powiedziałam łamiącym się głosem.

– Możemy. I zostawimy. Laura sobie poradzi, nic tam po nas. Zresztą same jesteśmy w dupie, a konkretnie ty, i to jest czas, kiedy musisz się ratować. Zrób swoje, a potem dla własnego dobra wyjedź jak najdalej od Konstancina. Ile Fernando dał wam czasu?

Uniosłam brwi, dziwiąc się, że jest aż tak dobrze poinformowana.

– Kotek, nie patrz tak na mnie tymi sarnimi oczami. Ja znam ludzi pokroju twojego teścia i wiem, jak funkcjonują – prychnęła Betty. – Jeżeli liczysz, że po tym czasie on i Julio dotrzymają umowy, to jesteś w błędzie. Zobaczysz, podważą intercyzę, więc lepiej się zabezpiecz.

– Zabezpieczyć się? Ale jak? – spytałam oszołomiona.

– Jak, jak... A co ja jestem doktor Google? – Dopiła już trzeci kieliszek szampana.

– Betty, zwolnij trochę, dopiero jedenasta – powiedziałam, widząc, że otwiera kolejną butelkę.

– Błagam cię, mój toksyczny związek z cristalem to nic w porównaniu z gównem, w jakie ty się wpakowałaś.

Westchnęłam, zrezygnowana.

– Dobrze, Betty, widzę, że wróciłaś do formy. Nie będę ci zatem przeszkadzała. Mam ważniejsze sprawy na głowie niż wysłuchiwanie twojego bełkotu. Jak się ogarniesz, wiesz, gdzie mnie szukać. A jak się nie ogarniesz, lepiej zostań w domu.

Wściekła ruszyłam do wyjścia. Betty mnie nie zatrzymywała.

Wróciłam do domu. Całe szczęście nikogo w nim nie było. Julio pojechał do pracy, a mama poszła z Wiktorią do parku. Usiadłam na kanapie, próbując zebrać myśli. Czy Betty miała rację? Julio i Fernando mnie ograją? Nic nie dostanę po rozwodzie? A może będą mnie jeszcze szantażować? Czułam, że zaczynam wpadać w paranoję. Znowu oblały mnie zimne poty, serce zaczęło walić. Trzęsącą się ręką wyjęłam z torebki alpragen i wrzuciłam do ust dwie pastylki. Położyłam się na kanapie, czekając, aż tabletki zaczną działać.

Po chwili rozległ się dzwonek mojego telefonu. Spojrzałam na wyświetlacz. To Betty. Odrzuciłam połączenie. Po dzisiejszym poranku nie miałam ochoty z nią rozmawiać. Wróciła do dawnych zwyczajów i jej też nie mogłam już ufać. W końcu nigdy nie wiadomo, jak się zachowa po dwóch butelkach szampana, co i komu powie. Znowu byłam sama. Wróciłam do Konstancina, żeby stoczyć ostatnią bitwę – bez żołnierzy, sojuszników, generała ani planu.

– Dobry początek… – mruknęłam pod nosem, gdy piknięcie zasygnalizowało nadejście nowej wiadomości.

„Zadzwoń do tego gościa. To najlepszy prawnik w stolicy. Rozwodzi samych miliarderów. Ma u mnie dług, dlatego ci pomoże", napisała Betty.

A po chwili dodała: „Przepraszam".

Zacisnęłam zęby, żeby się nie rozpłakać. Poczułam, że wszechświat znowu rzuca mi koło ratunkowe.

„Dziękuję. Kocham cię", odpisałam.

Pół godziny później byłam już po rozmowie z prawnikiem. Umówiliśmy się na spotkanie za dwa dni. Teraz tylko musiałam dotrwać do tego czasu.

Biorę sobie ciebie za męża. PS A ciebie za mojego prawnika. Ale najpierw intercyza. Bo choć polowanie jest zakończone, trzeba zadbać o łupy. I lepiej nie robić tego na własną rękę. W tym przypadku warto wziąć przykład z milionerów i miliarderów. Oni bez prawnika nie przedłużą nawet umowy u operatora telefonii komórkowej. Dobry adwokat to podstawa. I bardzo często jedna z nielicznych osób, której ufa się bezgranicznie. Ale choć jest on w stanie wyciągnąć z najgłębszego bagienka, trzeba pamiętać, że prawnik to tylko człowiek i czasami też zdarzy mu się małe potknięcie. Znany jest przypadek pewnego miliardera – otóż pan za namową swojego prawnika i przyjaciela zainwestował mnóstwo pieniędzy w nieruchomość, którą nikt, kto nie chce mieć problemów, nie powinien był się interesować. Ale mleko się rozlało, przelewy wyszły z banku, umowy zostały podpisane. Tyle że kiedy przyszła pora, żeby powiedzieć „sprawdzam", okazało się, że nieruchomość ma więcej właścicieli niż *The Voice of Poland* jurorów. Prawnik przyjaciel dał się zwieść czarującemu pośrednikowi, który choć referencje miał wyborne, potrafił na boku grillować pewne temaciki. Prawnik zaufał pośrednikowi, miliarder prawnikowi i wyszła z tego niemała afera. Ale takie nieliczne wyjątki tylko potwierdzają regułę, że więź z odpowiednim prawnikiem, zwłaszcza w świecie konstancińskich wyjadaczy, jest ważniejsza niż więź z małżonkiem.

Tak więc kiedy księżniczka pozna księcia, zamiast lecieć od razu do księdza, powinna wcześniej zapukać do innego konfesjonału i wyznać grzechy, których nie poznał nawet skrywany pod łóżkiem pamiętniczek. Prawnik – oczywiście wybrany z listy tych, z którymi współpracują miliarderzy – musi poznać absolutnie wszystkie sekrety księżniczki, gdyż tylko wtedy jest w stanie zbudować wokół jej zamku odpowiednią fortecę. Kiedy już pani się przełamie i wyśpiewa o sobie wszystkie zwrotki piosenki, prawnik musi skomponować pod nią idealną muzykę, która ukryje każdy, choćby najmniejszy fałsz.

Następny krok to intercyza. Podpisujemy ją w czasach mlekiem i miodem płynących, dlatego księżniczka za radą prawnika wyjadacza może wystartować z oczekiwaniami z najwyższego C. Najlepsze intercyzy, o jakich słyszał Konstancin, to takie, w których panie wywalczyły sobie konkretną sumę około miliona złotych za każdy rok przeżyty w związku małżeńskim plus alimenty na dzieci w wysokości około trzydziestu tysięcy na każdą słodką główkę, apartament w Warszawie (minimum dwieście metrów kwadratowych) i dom wakacyjny, na przykład w Hiszpanii. Oczywiście trzeba pamiętać, że prawnicy, którzy potrafią wywalczyć taką intercyzę, śpiewają sobie – pozostając w atmosferze muzycznej – stały procent od zdobyczy. Ale i tak warto. Poza wstępnymi zapisami w intercyzie mamy mnóstwo punktów, które niczym instrukcja obsługi składania łóżeczka z Ikei mówią nam, co robić, kiedy mąż zdradza albo zachowuje się niegodnie. Jednak prawda jest taka, że im większa podstawa na „dzień dobry", tym mniej podpunktów zaakceptuje małżonek. Za to jego prawnik zmusi prawnika żony do wpisania takich podpunktów po jej stronie. Oczywiście taka intercyza ma swoje plusy i minusy. Plusy są oczywiste – pani, powiedzmy po dziesięciu latach małżeństwa, jest milionerką i nic jej nie obchodzi, żadne ukrywanie przez męża majątku, zaniżanie PIT-ów, preparowanie dokumentów finansowych... Liczy się to, co zostało zapisane i przypieczętowane krwią. Jedyne, co może podważyć taką intercyzę, to niegodne prowadzenie się przez żonę. Dlatego samice Konstancina w trakcie związku małżeńskiego nie pozwalają sobie na romanse. Wiedzą, że stawka jest zbyt wysoka, a to, co ujdzie na sucho mężowi, dla nich będzie kiedyś kubłem zimnej wody na głowę.

Najpopularniejszą intercyzą wśród mieszkańców podwarszawskiej mekki dla bogaczy jest taka, w której pani dostaje pieniądze za urodzenie każdego dziecka, dom, w którym dzieci się wychowują, alimenty (około dwudziestu tysięcy na sztukę, a dodatkowo na siebie) i nowy samochód co trzy lata. Po stronie byłego męża jest jeszcze opłacenie edukacji potomków, a mówimy oczywiście o szkole amerykańskiej lub brytyjskiej (jakieś trzydzieści tysięcy za miesiąc) i zagranicznych studiach (z mieszkaniem i wyżywieniem to nawet trzysta tysięcy za dwa semestry). Do tego, wiadomo, wakacje – minimum dwa razy w roku. Do podpisania takich papierów będzie namawiał młode żony każdy rozsądny prawnik. A każda rozsądna żona je podpisze, bo to dla niej dobra i bezpieczna opcja.

Te żony, które mają żyłkę hazardzistki i nerwy ze stali, mogą oczywiście nie zgodzić się na intercyzę. Ale wtedy czeka je długa, krwawa i przeważnie niewarta swojej ceny wojna o każdy wspólny bibelot. No cóż, decyzja należy do ciebie.

Po podpisaniu intercyzy dobry prawnik od razu przechodzi do działania, czyli do tzw. zabezpieczania tyłów. Bo wiadomo, papier przyjmie wszystko, ale dopiero prawdziwe brudy go „uprawomocnią". Dlatego najskuteczniejsze jest działanie w myśl zasady „Grosz do grosza, a będzie kokosza", a dokładniej – niezła aferka. Już od pierwszych dni małżeństwa żona powinna założyć sobie teczkę na lubego i wrzucać tam wszystko, co może jej się kiedyś przydać. Znalazłaś w spodniach paragon z kwiaciarni? Do teczki. Ze sklepu z biżuterią lub bielizną? Do teczki. Jeżeli później się okaże, że to ty zostałaś właścicielką tych podarków, najwyżej paragon wyjmiesz i wyrzucisz. Mąż upił się na imprezie? Pstryknij mu zdjęcie. Widzisz, jak wciąga kreskę? Uśmiech proszę! Nigdy nie wiesz, co ani kiedy może się przydać. A w negocjacjach rozwodowych zawsze wygrywa ten, kto ma więcej amunicji. Nagrane rozmowy, filmiki, podsłuchane rozmowy biznesowe – na froncie liczy się absolutnie wszystko.

Ważne też, żeby żona nie ograniczała się wyłącznie do zajmowania dziećmi, domem i sobą. Powinna rozumieć, co robi biznesowo jej mąż, śledzić rozwój jego firmy, wiedzieć, które jego interesy są legalne, a które mniej, z kim się zadaje, kto jest jego wspólnikiem, a kto jedynie słupem. W tym temacie nie może sobie odpuścić. Zagadnienia niezrozumiałe powinny zostać dokładnie przeanalizowane i wytłumaczone przez jej prawnika. Tylko kiedy żona rozumie interesy męża, jest w stanie z podsłuchanych rozmów telefonicznych lub na proszonych kolacjach wychwycić informacje, które jej się przydadzą. Im więcej wiesz, tym więcej później masz.

Znana jest w Konstancinie historia pewnej niepozornej księżniczki, której leżenie na ziarnku grochu szybko się znudziło. Pani już w drugim roku małżeństwa miała pewność, że jej mąż do najwierniejszych kotków nie należy. Zrozumiała też, że jako druga, młodsza żona nie może żyć złudzeniami, że ta bajka skończy się słowami „żyli długo i szczęśliwie". Za radą swojej prawniczki, a na szczęście była to mądra kobieta, poddała surowej analizie swoje małżeństwo. Excel nie kłamał. Z wyliczeń i rozliczeń wyszło jej, że ich związek przetrwa góra dekadę, i to tylko wtedy, jeśli będzie na wszystko przymykała oko. Po tym czasie trzeba będzie się ewakuować, a wtedy jedynie od niej zależy, z jakim dobytkiem opuści ten dom i to małżeństwo. Opcje miała dwie: albo od razu zacznie gromadzić w swej przepastnej szafie dobra materialne, które później będzie mogła spieniężyć, albo wyciągnie od męża tyle, na ile zasługuje. Jednak żeby wprowadzić w życie ten drugi scenariusz, musiała zainwestować w siebie, a dokładniej w swoją edukację. Plan był ambitny, ale żona do leserek nigdy nie należała. Dyplom z marketingu zrobiony jeszcze przed poznaniem księcia już po koronacji zaczęła poszerzać o kolejne studia podyplomowe – i to z kierunków, w których biznesowo działał jej mąż. Tym oto sposobem po pięciu latach miała na swoim koncie MBA, podyplomówkę z fuzji i przejęcia przedsiębiorstw oraz z finansów i rachunkowości. Do tego nauczyła się języka rosyjskiego na poziomie C1, by rozumieć, o czym mąż rozmawia ze swoimi kontrahentami. Wiedzę tę zdobyła oczywiście w tajemnicy przed mężem – tak jak w tajemnicy podczas proszonych kolacji zdobywała później tajne informacje. Niejedna pani dla podbicia swojego statusu i wbicia śmiertelnej biznesowo szpili pochwaliłaby się swoimi zasobami, ale ta pani była ulepiona z innej gliny. Wiedziała, że w życiu można być Brzechwą – przystojnym, wysokim mężczyzną, który z miejsca zdobywa tłumy, albo niepozornym, zakompleksionym Tuwimem, któremu dobry wiersz nie wystarczał, przynajmniej za życia, by zdobyć poklask. Jej charakter bliższy był temu drugiemu, dlatego w ciszy i skupieniu misternie tkała swój plan – i czekała na ruch męża. Zanim jednak ten zdecydował się poinformować żonę o rozwodzie, ona miała już na niego nie haka, ale ciężką kotwicę, która cumowała największy jacht.

W końcu nadszedł ten dzień. Pan powiedział pani, w całkiem zwyczajnych okolicznościach – nie, niebo nie było wtedy różowe – że ich miłość dobiła do brzegu i tak właściwie to on chciałby się z tego związku wyplątać, najlepiej węzłem prostym. Serce żony, kiedy usłyszała te słowa, prawie wyskoczyło z klatki piersiowej. Oczywiście z radości. Po dziewięciu latach obcowania – to naprawdę najlepsze słowo, by opisać ich małżeństwo – było widać jak na dłoni, kto w tym związku jest trafiony, a kto już zatopiony. Zanim dzień się skończył, prawnik męża dostał od prawnika żony tak grubą teczkę, że i jeden, i drugi nakryli się nogami. Mąż, kiedy tylko się zorientował, co zebrała na niego żona, od jak dawna zbierała i w jaki sposób, poczuł się, jakby ktoś skrócił go o jego ulubiony organ – i nie była to głowa. Prawnik męża, po przeanalizowaniu sytuacji oraz ocenie zysków i strat, nakłonił go do takiego kompromisu, że pan opuścił Konstancin nocą, z jedną walizeczką od Louisa Vuittona. Pełne uznania spojrzenie męża i prawnika, kiedy obaj się zorientowali, jakimi zasobami dysponuje żona – bezcenne. No cóż, nigdy nie wiadomo, kiedy ręka pieszczotliwie gładząca policzek wbije ci nóż w plecy.

Kolejnym punktem jest sprawdzanie wierności męża. I powiedzmy sobie szczerze, dla samca z Konstancina wyniki nie będą korzystne. Tyle że nie do końca o jego wygraną w tych zawodach chodzi. Wszak nadal jesteśmy na etapie tuczenia teczki. A jak mawiają filozofowie, kiedy prawda nie wystarczy, trzeba o niej zapomnieć. Tutaj stawką jest godny byt twój i twoich dzieci, zatem na bok sentymenty. Poza tym to, że nie udało ci się w uczciwy sposób przyłapać męża na zdradzie, nie znaczy jeszcze, że do niej nie doszło. Dlatego z czystym sumieniem trzymaj się planu – twój prawnik da ci na to błogosławieństwo, a ksiądz rozgrzeszenie. No to zaczynamy.

Nikt nie wie lepiej niż ty, jaki typ kobiet kręci twojego niewiernego misiaczka. Za jakimi kobietami ogląda się na spacerze, jakie podziwia na Instagramie, które twoje koleżanki lubi bardziej. Brunetki, blondynki, a może wysokie rude, z biustem D lub B, szczebioczące, wachlujące rzęsami, a może niepozorne myszki, które dopiero w blasku świecy rozkwitają niczym podlany deszczówką kwiat. Tak, już ty wiesz, jaka pani go zakręci i w jakiej sukience powinna na niego przez przypadek wpaść w klubie. Tutaj zdecydowanie prym wiodą czerwone, obcisłe, z dekoltem do pępka. Kiedy już taka wynajęta przez ciebie modelka zacznie robić maślane oczy do twojego męża, ty zadbaj o to, żeby wynajęty detektyw albo fotograf odpowiednio wszystko udokumentował. Żeby fotki były gorące, pan i pani wcale nie muszą pójść na całość. Wystarczy jeden uwieczniony namiętny pocałunek, a resztę już się dośpiewa.

Żeby było jasne – brudy na męża zdobyte legalnie i powiedzmy sobie szczerze: mniej elegancko, są potrzebne, żeby do rozwodu doszło poprzez ugodę. Zbierana przez ciebie latami, niczym kolekcja słoni z podniesioną trąbą, teczka absolutnie nie powinna się znaleźć w rękach sędziego. Taka kolekcja ma zupełnie inne zastosowanie. Ale o wszystkich tych przedrozwodowych trikach powie żonie prawnik.

Czasami zasłyszane w kancelarii rady są tak niewiarygodne, że panie w pierwszej chwili myślą, że adwokat sobie żartuje. Znana jest historia jednej z konstancińskich kobiet w separacji. Prawnik doradził jej, żeby wszystkimi możliwymi sposobami uwiodła swojego jeszcze męża, zaciągnęła go do łóżka i nagrała ich igraszki. A wszystko po to, żeby w sądzie udowodnić, że podczas separacji doszło między małżonkami do zbliżenia, a tym samym wybaczyli sobie oni dawne przewiny. Pani do planu podeszła tak ambitnie, że małżonków słyszało pół Konstancina. Ich sekstaśma mogłaby spokojnie konkurować z tą z Kim Kardashian w roli głównej. Dość powiedzieć, że prawnik po obejrzeniu jej stwierdził, iż dla dobra interesów pani lepiej będzie jednak nie pokazywać tego nagrania w sądzie. A najlepiej w ogóle nie pokazywać go nikomu.

Suto opłacany jurysta pomoże też przetrwać szturm, który rozpocznie na żonę mąż w pierwszych miesiącach rozwodowej wojny. Będzie za nią odpowiadał na liczne pozwy, którymi zdenerwowany książę strzela na oślep, i pomoże w podbiciu stawki, czyli tak zwanej oferty dnia.

I co najważniejsze: ostrzeże żonę przed innymi wygłodniałymi wilkami. A takich watah, kiedy tylko wyczują słabszą jednostkę, pojawia się na pęczki. I naprawdę trudno w tym czasie nawet rozsądnej żonie oddzielić ziarno od plew.

Wiem, co mówię, bo historię, o której zaraz opowiem, przeżyłam na własnej skórze.

Wszystko zaczęło się całkiem niewinnie w czasach, kiedy byłam jeszcze po uszy zakochana w moim mężu i miałam dopiero debiutować na konstancińskich salonach. Z tej okazji, jak zrobiłaby każda rasowa konstancinianka, udałam się do pewnego znanego w stolicy i nie tylko projektanta. Pan cieszył się sympatią bogatych żon, bo miał bardzo miłą dla oka, ucha i serduszka cechę – był ogromnie empatyczny. I umiał słuchać. Ba, nawet sam do wyznań zachęcał. Każda pani czuła się w jego towarzystwie ważna, zauważona, utulona. A on cierpliwie słuchał, nawet kiedy opowieści podkręconej najlepszym szampanem klientki ciągnęły się przez kilka godzin. Nie przerywał, nie chrząkał, nie zerkał na zegarek. Był szczerze, prawdziwie zainteresowany. A że bogatych klientek miał w bród – każda z podobną historią i tajemnicą – doskonale wiedział, jak pocieszyć, gdy spod rozmazanego oka wychynął świeżutki siniak. Jak się potem przekonałam, nie robił tego w ramach dobrego uczynku, ale maskę miał piękną. Ja również od razu wpadłam w jego sidła, choć wtedy, podczas przymiarki mojej wymarzonej sukni na pierwszy bal z księciem, byłam zakochana i szczęśliwa. Ale pan ocenił mnie miarą Konstancina i wiedział, że – jak w przypadku innych podobnych do mnie kobiet – moje szczęście nie będzie trwało długo. Oczywiście nie powiedział mi tego ani nie dał odczuć. Ale wziął mnie pod swoje skrzydła. Zaprzyjaźnił się ze mną oficjalnie. Zapraszał na swoje pokazy, gdzie mnie i pozostałe żony Konstancina, czyli swoje wierne klientki i fanki, sadzał w pierwszych rzędach. Przedstawiał mnie swoim wpływowym przyjaciołom, stawał ze mną na ściance, każdym zachowaniem i gestem dawał odczuć, że jestem wyjątkowa. A kobiety takie jak ja, które właśnie wchodzą do klatki z lwem, niczego bardziej nie potrzebują niż uznania. Pan był dla mnie niekwestionowaną wyrocznią – najpierw w kwestii mody, a później także w innych tematach. Opłaciło mu się, bo na sukienki i płaszczyki w trakcie kilku lat naszej przyjaźni wydałam u niego z pół miliona. A nie byłam jedyną jego „przyjaciółką". Za to jako jedna z nielicznych połączyłam kropki i odkryłam, na czym polega prawdziwy biznes pana. Pierwsza historia, o której usłyszałam w „wielkiej tajemnicy", dotyczyła pewnej świeżo rozwiedzionej kobiety po pięćdziesiątce. Pani miała to szczęście, że z pomocą wpływowych przyjaciół puściła swojego męża w samych skarpetach. Na otarcie łez dorzuciła mu na odchodne dwa kundelki ze schroniska, które pan zaadoptował, wiedząc, że żona ma alergię na sierść. I choć pani była kuta na cztery kopyta, i tak padła ofiarą projektanta i jego znajomego. Żeby oddać sprawiedliwość – wtedy wszyscy myśleliśmy, że przewiną projektanta było jedynie poznanie pani z nieodpowiednim człowiekiem. Z przystojnym, eleganckim i młodszym od niej o dwadzieścia lat erudytą. Pani straciła dla pięknego Leo głowę. Do tego stopnia, że kiedy na drugiej randce model wyznał jej miłość i był gotów w nocy księdza budzić, byle tylko zostać mężem takiego diamentu, nie zapaliła się jej ostrzegawcza lampka. Pani diamentem nie była, za to sporo ich miała w sejfie w sypialni. Trzymała tam prawie całą swoją biżuterię wartą trzy miliony złotych, a także trochę drobnych na czarną godzinę. W sumie uzbierało się tego z dziesięć milionów. Które zniknęły po trzeciej randce – oczywiście razem z erudytą. Podobno pani, zamiast swoich kosztowności, znalazła w sejfie kompromitujące zdjęcia i filmik, na którym wciąga kokainę z pośladków modela. I to był główny powód, dla którego pani nie zgłosiła kradzieży na policję. Zgłosiła za to swoje żale i pretensje do projektanta, on jednak bił się w pierś, iż Leo poznał niedawno i nie miał zielonego pojęcia, że taki z niego tulipan. Mimo wszystko pani w gronie wstrząśniętych historią przyjaciółek opowiadała, że projektant znał kod do jej sejfu, bo nieraz sam chował tam jej klejnoty. Ale że twardych dowodów nie było i w sumie cała historia średnio się kleiła, o rzekomym powiązaniu projektanta z erudytą wszyscy szybko zapomnieli.

Ja usłyszałam o niej od koleżanki, która padła ofiarą innego erudyty i straciła przez niego krocie. Był to czas, gdy była krucha, złamana, przestraszona, przerażona i jedyne, o czym marzyła, to pomocna dłoń przyjaciela. Delikatnie mówiąc, nie układało jej się wtedy najlepiej z ówczesnym partnerem. A mówiąc wprost: oboje wiedzieli, że ich dni pod jednym dachem są policzone. Mimo wszystko wyjechali na wakacje za granicę, żeby spróbować ratować związek. Niestety, nie tylko się to nie udało, ale doszło tam do pewnego przemocowego incydentu. Wrzuciła wtedy na Instagram zdjęcie swojej zapłakanej twarzy z podpisem: *I'm fine*. I to zdjęcie stało się lepem na łowców posagów. Jednemu – a był to właśnie protegowany owego projektanta – koleżanka niestety zaufała.

Mężczyzna był Polakiem, ale pół roku spędzał na Majorce, gdzie miał piękny dom. Był elegancki, obyty, światowy, przystojny i do rany przyłóż. Rozumiał też doskonale skrzywdzone kobiety, bo jak twierdził, jego młodsza siostra przeszła załamanie nerwowe po rozwodzie z mężem alkoholikiem i krwawej batalii o dziecko. Znajoma mu uwierzyła, w końcu był taki czarujący i uczynny, a ona tak bardzo zagubiona i bezradna. Była bliska załamania nerwowego, tabletki na stany lękowe łykała jak dropsy.

Przemocowiec trafił do aresztu, co erudyta natychmiast wykorzystał. Wiedział, co powiedzieć, żeby mu zaufała, i gdzie nacisnąć, żeby zaczęła działać. Po dwóch tygodniach koleżanka zaufała mu bez reszty, przekonana, że opatrzność wreszcie się zlitowała i zesłała jej mężczyznę idealnego. Mądrego, czułego, zaradnego, bogatego. Dlatego bez wahania oddała się w jego ręce – dosłownie i w przenośni. I to był jej błąd. Kochanek rozpoczął podbój. Zapewniał, że jest taką samą ofiarą jak jego ukochana siostra, i obiecywał, że nie pozwoli, choćby miał zginąć – takich słów użył – żeby spotkało ją podobne piekło. Poszła za jego radą i zaczęła realizować plan ratowania siebie. Punkt pierwszy: zrobić wszystko, żeby partner jak najdłużej pozostał w areszcie. Punkt drugi: zabezpieczyć wszystkie kosztowności. Kochanek przekonywał, a przyjaciel projektant żarliwie go popierał, że powinna opróżnić zawartość sejfu w swojej willi, spakować wszystkie markowe ubrania, torebki, buty i... ukryć to wszystko w jego warszawskim mieszkaniu. Reszty łatwo się domyślić. Czy dała się nabrać? Oczywiście! Cały swój majątek, łącznie z luksusowym samochodem, oddała „na przechowanie" erudycie. Ostatni raz widziała go, kiedy odjeżdżał spod jej domu jej samochodem wypełnionym jej rzeczami. Licząc na szybko, gwizdnął jej jakieś piętnaście milionów.

Na zakończenie tej historii dodam, że erudyta i projektant nie pracowali w pojedynkę – stanowili dobrze zgrany tandem. Ta rozgrywka miała jednak jeszcze jednego dużego gracza, a był nim „genialny" prawnik, który został koleżance wciśnięty przez erudytę. Obaj przekonali ją, że żeby Konstancin nie zadawał niewygodnych pytań i nie podejrzewał, że ma kochanka, należy udawać, że kochanek jest asystentem, któremu znajoma robi stałe przelewy na konto. Te niedrobne drobne stanowiły oficjalną przepustkę do tego, by kochanek chodził za nią krok w krok, nosił jej torby, wjeżdżał i wyjeżdżał spod jej domu, znał kod do jej sejfu i tak dalej. A najśmieszniejsze – i najsmutniejsze – że to nie koniec tej historii. Prawnik, erudyta i projektant w białych rękawiczkach wyciskali z kobiety, co mogli. Kiedy już się u niej zadomowili, a było to chwilę przed tym, jak erudyta zwiał z jej majątkiem, zaczęli się dobierać do jej byłego męża. Podburzali układ, który z nim zawarła, twierdząc, że nie znają w Konstancinie ani jednej kobiety, która zgodziła się na tak niskie alimenty dla siebie i dziecka. Prawnik obiecywał, że wywalczy wyższe, o niebo wyższe! Za tę usługę miała z nim podpisać umowę, w której zadeklaruje, że połowa z tego, co uda mu się wywalczyć, będzie regularnie spływała na jego konto. Tak, podpisała tę umowę. Całe szczęście wtedy zainterweniował jej były mąż. Przekonał ją i udowodnił, że padła ofiarą tulipanów. Ale jedyne, co udało się odkręcić, to zerwać umowę z prawnikiem. Utraconego majątku znajoma nigdy już nie zobaczyła. Dlaczego nie zgłosiła tego na policję? Z dwóch powodów. Po pierwsze, czuła się tak upokorzona, zawstydzona, oszukana, że wolała, by nikt o tej historii nie usłyszał. Po drugie, ona też znalazła w sejfie niespodziankę.

Panowie, których ofiarą padła, dalej z powodzeniem kręcą lody. Przekonała się o tym inna bogata pani stojąca na rozdrożu. Ale ta historia, z diamentami w tle, zasługuje na oddzielny rozdział.

Teraz wrócę jeszcze do prawnika, tego prawdziwego – od rozwodów bogaczy – i do jego przestróg. Kiedy już ostrzeże panią o potencjalnych oszustach matrymonialnych, zwraca uwagę na wygląd swojej klientki przed sądem. Bo wiadomo – czego oczy nie widzą, tego sercu nie żal. A sędzia albo sędzina to tylko ludzie, i to w naszym kraju wcale nie tak dobrze opłacani. Dlatego, kiedy pani sędzina zobaczy na sali żonę z torebką od Hermèsa, wartą tyle, ile ona nie zarobi przez pięć lat, humor może się jej ciut zepsuć. A już na pewno nie zrozumie, jakim cudem pani nie jest w stanie przeżyć od pierwszego do pierwszego za dwadzieścia tysięcy. Dlatego zdecydowanie bardziej opłaca się postawić na skromność. Ucz się od najlepszych. Pamiętasz, jak wyglądały żony naszych dwóch ułaskawionych „więźniów politycznych"? No właśnie, tak to się robi! Szaro, buro, biednie, skromnie. Jeżeli torebka od projektanta, to tylko taka, którą rzucą w Rossmannie albo Biedronce. Buty najlepiej sprzed kilku sezonów, im bardziej znoszone, tym lepiej. Zero makijażu, włosy w nieładzie. Doczepy zostają w domu! Sala sądowa to nie czerwony dywan, zwłaszcza kiedy jesteś kobietą walczącą o alimenty. Tutaj musisz wzbudzić współczucie i sympatię. A nie pomogą ci w tym dwukaratowe brylanty w uszach.

Twoje zachowanie też powinno korespondować z wyglądem. Czyli nie kozakuj. Nie rób dzióbków, nie pokazuj pazurków. Zapomnij o wszystkich swoich atrybutach, dzięki którym twój mąż stał się twoim mężem, a na Instagramie zdobywasz tysiące lajków. Na sali sądowej nie możesz być gwiazdą, nawet jeżeli faktycznie nią jesteś. Wzrok spuszczony, nos zaczerwieniony od ciągłego wycierania chusteczką. Powinnaś wyglądać i zachowywać się tak, żeby sędzia widział w tobie swoją oszukaną córkę i chciał na pocieszenie pocałować cię w czoło. A sędzina, żeby zobaczyła, że jesteś po prostu zwykłą oszukaną kobietą, którą mąż cwaniak próbuje wyrolować. Mąż cwaniak, facet cwaniak, facet to świnia... rozumiesz, do czego zmierzam, prawda? O tym wszystkim powie ci zresztą twój prawnik. A ja od siebie dorzucę ulubiony slogan samców z Konstancina: „Jeżeli lubisz swojego prawnika, zwolnij go". Dobry, czyli skuteczny, prawnik to cwaniak i ślizgacz, który irytuje cię swoimi pytaniami i hipotezami. Jeżeli ty go nie lubisz, pomyśl, co czuje druga strona. A o to przecież chodzi w tej grze – żeby zdezorientować przeciwnika.

Trzy tygodnie w Konstancinie minęły jak z bicza strzelił. W tym czasie stawaliśmy z Juliem na głowie, żeby pokazać wszystkim, że do siebie wróciliśmy. Regularnie bywaliśmy w liczących się w mieście miejscach, gdzie trzymaliśmy się za ręce, a gdy tylko mijał nas ktoś znaczący, Julio całował mnie w czoło lub policzek. Po pierwszym takim spacerze wróciłam do domu z tak obślinioną twarzą, że pierwsze, co zrobiłam, to porządny peeling. Prawie codziennie jadaliśmy w topowych restauracjach, za każdym razem w innej. Zależało nam, żeby nasz powrót zarejestrowały i żony, i kochanki Konstancina. Wystrojeni jak stróż w Boże Ciało zamawialiśmy najdroższe dania z karty i butelkę szampana. Zawsze zakładałam najdroższą biżuterię i zegarek, warte w sumie kilka milionów. W restauracji Różanej w Warszawie jadłam naleśniki z rakami, mając na nadgarstkach trzy kultowe bransoletki z białego złota od Cartiera Juste un Clou bracelet za czterysta pięćdziesiąt tysięcy złotych każda. W Amber Roomie – solą Dover z ziemniaczkami szafranowymi delektowałam się w naszyjniku, bransoletce i kolczykach z linii Cartiera Love, całość za jakieś sześćset tysięcy. Do tego zawsze miałam na palcu pierścionek zaręczynowy od Harry'ego Winstona z diamentem szlifowanym na zamówienie – za okrągły milion złotych (wiem, bo znalazłam w sejfie paragon). Z tymi pierścionkami zaręczynowymi tak to już jest – muszą być drogie, żeby zamiary samca alfa w całym Konstancinie zostały odpowiednio zrozumiane. Jeżeli pan wyda na pierścionek mniej niż trzysta tysięcy, to znaczy, że narzeczona nigdy nie zostanie żoną. Inne żony Konstancina doskonale znają ten kod, dlatego każdy pierścionek świeżo upieczonej narzeczonej jest dokładnie oglądany przez pozostałe matrony.

– Pięknie wyglądasz – powiedział Julio po kolacji w Raffles.

Rozejrzałam się dyskretnie, ale nikogo znajomego nie zauważyłam.

– Spokojnie, nikt nie patrzy – odpowiedziałam, przełykając najlepszą sałatkę z kozim serem w całej Warszawie.

– Nie dlatego to mówię. Po prostu ładnie wyglądasz – odpowiedział, lekko zawstydzony.

– Dziękuję.

– Straszne tu dziś nudy. Ciekawe, dlaczego nikogo nie ma.

– Może są w sali owalnej?

– W środę? Myślałem, że owalna pęka w szwach dopiero od piątku.

Wzruszyłam ramionami.

– Ty wiesz lepiej. W końcu to nie ja ze wspólnikami do rana wciągałam tam ze srebrnej tacy wszystko, co da się wciągnąć – zażartowałam.

– Oczywiście. Ty nie robisz takich rzeczy w stolicy. Wolisz Paryż i Francuzów – odgryzł się, a ja już wiedziałam, że Fernando powiedział mu o mojej francuskiej przygodzie. Zauważyłam też, że Julio nie czuje się najlepiej w roli zdradzonego męża. I nie ukrywam, ucieszyło mnie to.

– To chyba dobrze, że jestem dyskretna – odpowiedziałam z satysfakcją.

– Tak, bardzo. Wybrałaś sobie najdyskretniejszych przyjaciół pod słońcem. Zawsze miałaś nosa do ludzi.
– Mówisz o sobie? – Uniosłam brew. – Faktycznie do facetów nosa nie mam.

Julio nie odpowiedział, za to wezwał kelnera i zamówił sobie porcję whisky. Wychylił szklankę do dna i poprosił o kolejną.

Ja w tym czasie kończyłam swoją kolację. Próbowałam się uspokoić, awantura nie była nam potrzebna. Nie teraz, nie w tym miejscu.

– Nie mogę zrozumieć, jak mogłaś się wpakować w taki syf – podjął po chwili Julio. – Przecież wszyscy wiedzą, że wiking i jego dziunia to typy spod ciemnej gwiazdy, ludzie mafii, z którymi nikt, kto ma choć odrobinę oleju w głowie, nie chce mieć do czynienia.

– Może faceci z Konstancina o tym wiedzą, ale kobiety nie. Poza tym, skoro wiedziałeś, to dlaczego mnie nie uprzedziłeś? – wycedziłam.

– A posłuchałabyś mnie? Chciałem, żebyś miała nauczkę, ale nie sądziłem, że od razu dasz dupy pierwszemu lepszemu kolesiowi – powiedział Julio lodowatym tonem i dopił kolejną porcję whisky.

– Ktoś, kto zalicza wszystko, co się rusza, nie powinien chyba mieć do mnie pretensji, że raz się zapomniałam – odbiłam piłeczkę.

– Tyle że moje chwile zapomnienia nie kosztują tyle, co twój skok w bok.

– O co ci chodzi? – dopytałam, bo nie miałam zielonego pojęcia, do czego on pije.

– A co, myślisz, że opuściłaś wikinga ot tak, za nic? Po tym wszystkim, co widziałaś i słyszałaś? – prychnął Julio. – Dziewczyno, Fernando musiał za ciebie wpłacić kilka baniek.

– Widocznie uznał, że jestem tego warta – odpowiedziałam, ale moja pewność siebie zaczęła błyskawicznie topnieć. Poza tym widziałam, że mój mąż jest coraz bardziej pijany, a to zawsze oznaczało kłopoty.

– Ale spokojnie, odliczymy ci to od intercyzy – kontynuował. – Nie sądzisz chyba, że ja i mój ojciec będziemy sponsorować twoje dawanie dupy na prawo i lewo. – Zaśmiał się chamsko. – I jeszcze jedno. Na twoim miejscu sprawdziłbym, czy biżuteria, którą miałaś na sobie podczas pobytu w Paryżu i tamtej nocy, jest autentyczna. Wiking i Aneta są znani z tego, że takim głupim cipkom jak ty podmieniają cenne przedmioty na podróbki. A wy, wielkie znawczynie mody, zapierdalacie potem w tych podjebkach. – Znów podle zarechotał. – Wychodzi, że nawet na tym się nie znacie!

Miałam wrażenie, że zaraz albo zemdleję, albo zwymiotuję. Czyli taki mają plan! Na tym ma polegać gest teścia! Intercyza okej, ale minus to, co wydał na mnie na jachcie.

Pewnie jeszcze lot samolotem i drinki mi wyliczy, pomyślałam wściekła. Wiedziałam już, że muszę jak najszybciej wprowadzić w życie plan B.

– Jakoś sobie poradzę – odburknęłam tylko. – Na razie musimy zorganizować bal.

Stało przed nami spore wyzwanie, a ja nadal nie byłam pewna, co myśli o nas Konstancin i czy ktoś w ogóle przyjmie zaproszenie. Jeżeli tak, będzie to znaczyło, że nasze grzechy zostały wymazane i zaczynamy z czystą kartą – jeśli nie, będziemy w Konstancinie skończeni na zawsze.

– Bal zostawiam tobie. Choć pewnie i to spieprzysz – rzucił szyderczo Julio.

Do domu wracaliśmy w grobowej ciszy. Julio tak się wstawił, że prawie zasypiał na tylnej kanapie. Za to mnie tak mocno biło serce, że byłam pewna, że nasz szofer to słyszy. Spojrzałam przerażona na mój pierścionek od Harry'ego Winstona, na mojego rolexa w białym złocie... Czy to możliwe, że Aneta podmieniła mi oryginały na podróbki? Zdjęłam dyskretnie pierścionek i zerknęłam na grawer. Wszystko się zgadzało. Napis: „Na zawsze Twój J." niby był na swoim miejscu. Ale to nic nie znaczy. Taki grawer mógł wykonać pierwszy lepszy jubiler za trzy dychy.

Całą noc nie mogłam zmrużyć oka. Krążyłam po sypialni jak dzikie zwierzę po klatce, starając się przypomnieć sobie, jakie ubrania, torby, buty, biżuterię wzięłam wtedy do Paryża.

Oglądałam z bliska wszystkie detale, ale prawda jest taka, że porządną podróbę niełatwo odróżnić od oryginału.

Z samego rana pojechałam do Betty. Byłam tak poruszona tym, co powiedział mi Julio, że zapomniałam uprzedzić ją o swojej wizycie. Najwyraźniej zapomniałam też się umalować i uczesać, bo kiedy Betty zobaczyła mnie w drzwiach, od razu zapytała, czy coś się stało Wiktorii.

– Nie, z Wiktorią wszystko dobrze. Ale nie uwierzysz, co powiedział mi Julio! – wykrzyknęłam, zaraz jednak rozejrzałam się spłoszona. – Jesteś sama?

– Tak, Jezu, uspokój się, bo zaczynam się ciebie bać...

– Poczekaj, zaraz wracam.

Wróciłam do samochodu i wyjęłam z bagażnika wielką walizkę. Kiedy weszłam z nią z powrotem do holu, Betty aż złapała się za głowę.

– Serio, już cię wypieprzył z chaty? – krzyknęła.

Spojrzałam na nią wzrokiem, który mógłby zabić, i odparłam:

– Dawaj cristala. Jak ci powiem, co mi wczoraj oznajmił Julio, to padniesz.

Betty bez pytania ruszyła w kierunku lodówki.

Pół godziny później siedziałyśmy na podłodze zawalonej ubraniami – moimi i jej – i sprawdzałyśmy, co mogło zostać podmienione. Ubrania zdawały się w porządku. Biżuterii nie byłyśmy w stanie ocenić, ale Betty zadzwoniła po zaprzyjaźnionego jubilera, który już do nas jechał z całym niezbędnym sprzętem. Jedna torba Betty, największa czarna chanelka, okazała się podróbą. Po dokładnym jej obejrzeniu i porównaniu z tym samym modelem, tylko beżowym, miałyśmy pewność, że zostałyśmy oszukane. A torba to zapewne dopiero początek.

Wodziłyśmy wściekłym wzrokiem po naszych bransoletkach od Cartiera, naszyjnikach, zegarkach i koliach.

– Jeżeli suka podmieniła mi to wszystko, przysięgam, że już jest martwa! Nie daruję jej tego! Nigdy! – krzyczała Betty. – Nie pozwolę, żeby jakaś tania lodziara robiła ze mnie kretynkę!

– Już widzę, jaki mieli z nas ubaw – powiedziałam załamana. – Świetnie, teraz naprawdę jestem spłukana. Nie dość, że nic nie dostanę po rozwodzie, to jeszcze nie będę miała czego sprzedać. A to był mój plan na czarną godzinę... – Rozkleiłam się na dobre i zaczęłam płakać.

Betty wyglądała z kolei, jakby miała wybuchnąć ze złości.

– Nie no, zaciukam ją! – wrzasnęła, po czym dodała: – Dzwonię do Saszy!

Zdziwiło mnie to, bo ze swoim byłym mężem nie miała kontaktu od rozwodu. Umówili się, że każde siedzi cicho, nie żongluje tym, co ma na drugie, i ogólnie nie wchodzą sobie w drogę.

– Betty, poczekaj... Zobaczmy, co powie ten jubiler. Może to tylko jedna torba i szkoda się odzywać do twojego byłego – zasugerowałam.

– Co ty pieprzysz?! – Betty jednak nie dawała za wygraną.

– Obudź się, Matko Tereso! Dam sobie cycki zmniejszyć, że to wszystko podjebki! Wychujali nas koncertowo, sam mój rolex z czarnymi diamentami robiony na zamówienie kosztował półtorej bańki. Łącznie straciłam pewnie ze cztery miliony! A ty...? Pokaż no mi te gówna! – Betty nie panowała już nad sobą, rozrzucała torby i biżuterię po całym salonie, sumując ich wartość, a konkretnie wartość oryginałów. – U ciebie trzy bańki jak nic! Tyle poszło się jebać! – wycedziła i nalała nam po kolejnym kieliszku cristala.

Chwilę siedziałyśmy w ciszy, czekając na jubilera, choć wiedziałam już, że jego wizyta jest zbędna. Nagle Betty wstała gwałtownie, rozlewając na podłogę szampana.

– Nie będę tak bezczynnie siedzieć. Idę zadzwonić do Saszy – powiedziała stanowczo.

Klamka zapadła. Teraz zostało mi tylko czekać, co powie były mąż mojej przyjaciółki.

Kiedy ona rozmawiała z Saszą w gabinecie, ja zaczęłam zbierać z podłogi porozrzucane rzeczy. Byłam wściekła na siebie, że dałam się tak oszukać, że zapakowałam do Paryża najdroższe rzeczy i że teraz naprawdę jestem w kropce. Nie mogę przecież odejść z Konstancina z niczym. Jeszcze wczoraj się łudziłam, że jeśli będę się trzymać planu, Fernando nie pozwoli mnie oszukać. Że nie będzie chciał skandalu i pozwoli mi w ciszy odejść z tym, co mi się należy. Teraz już wiedziałam, że byłam w błędzie. On nie podważy intercyzy moją zdradą, bo to też wizerunkowo nie pomogłoby Juliowi, tylko po prostu się ze mną rozliczy. I jestem pewna, że zaokrągli na swoją korzyść kwotę, którą zapłacił ruskowi czy komu tam trzeba było. A ja przecież się nie dowiem, na ile mnie wycenili, bo za skarby świata tam nie wrócę. Paragonu za mnie zapewne też nie dostał.

Gdy Betty wróciła do salonu, była blada jak ściana. Nawet na mnie nie spojrzała – podeszła prosto do kredensu, wyjęła z niego czarodziejski pył, rozsypała go na marmurowym blacie i wciągnęła stueurówką.

– Mam rozumieć, że Sasza nie pomoże? – zapytałam w końcu.

Betty odpowiedziała po dłuższej chwili:

– Mam się trzymać od tych ludzi z dala. – Już nie krzyczała, przeciwnie, mówiła bardzo cicho. – Sasza powiedział, że i tak jesteśmy szczęściarami, że tylko nas okradli. Zazwyczaj takie laski jak my po długich tygodniach są wyławiane z morza.

Chwilę później zadzwonił domofon. Betty wpuściła jubilera, choć byłam pewna, że go odprawi – w końcu obie poznałyśmy już prawdę. Ale skoro jechał do nas aż z Wołomina, niech już zrobi swoje.

Po godzinie wszystko było jasne. Zostałyśmy oszukane, i to koncertowo.

Gdy tylko znów zostałyśmy same, Betty wyjęła worek na śmieci i zaczęła wszystko do niego wrzucać.

– Co ty robisz?! Chcesz wystawić mnie na konstancińskie linczowanie bez zbroi? – krzyknęłam. – Moje rzeczy zostaw! Zamierzam chodzić w tych podróbach i udawać, że to oryginały. Ty możesz kupić sobie nowe, mnie na to nie stać.

– Serio? Wolisz zapierdalać w tych podjebkach? – Spojrzała na mnie z niedowierzaniem.

– Tak, bo tylko ty i ja wiemy, że to podjebki. I niech tak zostanie. Wolę nieoryginalną chanelkę od oryginalnego Korsa. Choć teraz chyba nawet na Korsa mnie nie stać... – Znowu zaczęłam płakać.

Przyjaciółka podeszła do mnie i mocno mnie przytuliła.

– Wiesz co, to może weź też moje podróby. Sprzedasz je w jakimś komisie, tam takich „oryginalnych" cudeniek mają na pęczki.

Spojrzałam na nią i parsknęłam śmiechem. Wiedziałam, że Betty próbuje rozładować napięcie.

– A śmiałam się z hrabiny! – zawołała moja przyjaciółka, wtórując mi. – Pokarało mnie, no, kurwa, pokarało!

– Z jakiej hrabiny? – zapytałam, bo nie kojarzyłam, kogo ma na myśli.

- No z tej, co kochanek jej wykradł brylanty. Nie słyszałaś? Samce Konstancina przez kilka miesięcy miały ubaw. Bo wyszło, że żonki nawet zdradzać bezkosztowo nie potrafią... To wtedy Betty opowiedziała mi historię pewnej hrabiny z naszego miasteczka. Hrabina faktycznie urodziła się w arystokratycznej rodzinie z irlandzkimi korzeniami. W czasach, kiedy jeszcze tytuły coś znaczyły, jej ojciec kupił sporo ziem między Wilanowem a Konstancinem. To dało jego jedynej córeczce zabezpieczenie finansowe na całe życie. Hrabina była więc bogata, wpływowa, miła, ale niestety odziedziczyła nie tylko fortunę, ale też typową arystokratyczną urodę swojego pradziadka Irlandczyka – była ruda, piegowata i zawsze zaczerwieniona – co bynajmniej nie pomagało jej znaleźć odpowiedniego kandydata na męża. W końcu, kiedy pani groziło staropanieństwo, zainterweniował ojciec – wybrał jej na męża syna swojego kolegi. Ale jak pokazuje historia, takie aranżowane małżeństwa kończą się happy endem tylko w komediach romantycznych. Małżonek szybko okazał się niewiele wart, a do tego zdradzał hrabinę na prawo i lewo. I nawet się z tym nie krył. O jego licznych romansach wiedzieli wszyscy, włącznie z samą żoną. I pewnie gdyby ojciec hrabiny żył, nie pozwoliłby na taką zniewagę, ale niestety, zmarło mu się rok po ślubie córki. Właśnie wtedy nasz kogucik poczuł, że teraz wszystkie kury w kurniku są jego.

Hrabina bardzo długo łykała gorzkie pigułki cudzołóstwa, aż w końcu sama postanowiła spróbować chleba z innego pieca. A okazja dosłownie sama wślizgnęła się jej do łóżka. Podczas jednego z samotnych wyjazdów do Irlandii poznała w samolocie tajemniczego Anglika. Pan był bardzo miły, elokwentny, znał się na literaturze i sztuce i podbił serce pani, jeszcze zanim samolot zdążył wylądować. Romans był krótki, lecz intensywny. Kochankowie dla bezpieczeństwa spotykali się w luksusowych hotelach europejskich stolic. Pierwsze tête-à-tête zaliczyli w Barcelonie. Potem był Rzym, Lizbona, Paryż, Berno i... do Pragi już nie dotarli. Romans się skończył, kiedy pan oskubał hrabiankę z wszystkich brylantów. A zrobił to po mistrzowsku.

Pani, jak to zakochana kobieta, na każdy wyjazd upiększała się najdroższymi kamieniami, jakie miała. A trochę tego było, włącznie z rodowymi czterokaratowymi brylantami. To na nie połasił się Anglik – oszust, który latał po stolicach nie tylko z hrabiną, ale też ze swoim dyskretnym przyjacielem jubilerem. I kiedy pani po upojnej nocy w końcu wyczerpana zasypiała, a sen miała mocny, bo podrasowany tabletkami nasennymi, o czym rzecz jasna nie wiedziała, kochanek i jego przyjaciel zamieniali brylanty, które przez miliony lat powstawały w skomplikowanym procesie w głębi ziemi, na tanie syntetyczne laboratoryjne świecidełka. Oczywiście na pierwszy, drugi, a nawet trzeci rzut oka różnica była nic do wychwycenia. Zwłaszcza że oszuści nie wymieniali całej bransoletki czy kolii, tylko same kamienie. Obręcz pozostawała ta sama. Jedynie jubiler byłby w stanie się zorientować. Sama pani o oszustwie dowiedziała się długo po tym, jak kochanek ulotnił się z hotelu Bellevue Palace Bern, zostawiając po sobie tylko gigantyczny rachunek – bo na wynos zamówił sobie cztery butelki najdroższego wina. Wtedy jeszcze hrabina myślała, że to jest cena, którą płaci za niewierność. Prawdę poznała dopiero cztery miesiące później, po tym jak oddała swoją brylantową bransoletę do naprawy. Sprzączka jej się poluzowała i hrabina się bała, że zgubi najcenniejszą pamiątkę rodzinną. Kiedy dwa dni później zadzwonił do niej jubiler z prośbą o pilne spotkanie, hrabina przeczuwała już, że usłyszy złe wiadomości. Jednak w całej swej naiwności spodziewała się, że może po prostu sprzączki nie da się naprawić – ale na pewno nie tego, że jej czterokaratowe brylanty są podróbami. Hrabina korzystała z usług tego jubilera od wielu lat, ufała mu i wiedziała, że to nie on stoi za tym obrzydliwym przekrętem. Gorączkowo zaczęła szukać w myślach sprawcy. Jej pierwsze podejrzenie padło na męża – w końcu znał szyfr do ich sejfu i mógłby z powodzeniem podmienić brylanty w bransolecie. Ale to nie do końca było w jego stylu. Hrabina czuła, że coś tu nie gra. Z bólem brzucha wróciła do domu, spakowała całą swoją biżuterię i ponownie udała się do jubilera. Kilka godzin później wiedziała już, że większość jej wartościowych klejnotów została podmieniona na nic niewarte świecidełka.

Podobno stwierdziła wtedy, że z Anglikiem przeżyła najlepsze – i najdroższe – orgazmy. A mężowi, kiedy przyznawała się do zdrady i do tego, ile ją kosztowała, oznajmiła, że nie żałuje ani jednego „przerżniętego" brylantu.

– Historia ciekawa, ale ja nie jestem hrabiną – powiedziałam, kiedy Betty skończyła opowiadać. – Ona otrze łzy milionami, które zostawił jej tatuś, i szybko skompletuje sobie nową kolekcję błyskotek.

– To prawda. A że przy okazji straciła pewnie z piętnaście milionów... – Betty wzruszyła ramionami. – Czym jest piętnaście baniek dla kogoś, komu tatuś zostawił całą ulicę w Konstancinie.

– Żartujesz? – zawołałam zdumiona.

– Nie. Jej ojciec miał tyle siana, część oczywiście zdobył w niejasnych okolicznościach, że kiedy kupował dla siebie starą willę w Konstancinie, stwierdził, że nie zniesie sąsiedzkich hałasów i wścibskich spojrzeń gapiów, dlatego kupił pięć działek na całej ulicy. Myślę, że wydał na nie ponad sto milionów, a przynajmniej tyle kosztowałoby to zwykłego bogacza. Podobnie zresztą zrobił inny miliarder z listy „Forbesa". Kupił synowi i jego żonie ulicę, bo domek w Konstancinie to zbyt skromny podarek.

– Nie dobijaj mnie – jęknęłam. – Życie jest takie niesprawiedliwe...

– Oczywiście. Ale to, że ty, dziewczyna, nie obraź się, z symbolicznego Pcimia Dolnego, dostałaś się do Konstancina, i to za sprawą dwóch bogaczy, też nie jest najsprawiedliwsze, prawda? – Betty puściła do mnie oko.

– Dlatego teraz płacę za to potrójnie – odparłam i dodałam z nadzieją: – Betty, tylko ty możesz mi pomóc. Powiedz, co mam zrobić, żeby Julio i Fernando mnie nie wyrolowali.

Betty patrzyła na mnie przez chwilę, a potem poszła do lodówki po drugą butelkę szampana, tym razem Dom Perignon.

– Myślę, że na początek powinnaś trzymać się planu Fernanda – zaczęła, nalewając nam do kieliszków. – Najpierw musicie wmówić wszystkim, że do siebie wróciliście, wybaczyliście sobie i znowu jesteście kochającą się rodziną. Niech wszyscy was takimi widzą. Potem w razie czego będziesz miała świadków.

– A niby kto zezna na moją korzyść, żartujesz? – prychnęłam.

– Ja bym tak siebie nie umniejszała, moja droga – odparła Betty. – Po pierwsze, nie zapominaj, że Julio ma swoje za uszami, a jego ostatnie wybryki, kiedy mieszkałaś w Wilanowie, były turbożenujące. Poza tym Konstancin wie, że zadawałaś się z wikingiem, że byłaś na imprezie jachtowej i doskonale zdajesz sobie sprawę, na czym polegają samcze targi. Wykorzystaj to. Udawaj pewną siebie i pokaż, że masz haka na każdą grubą rybę w tej mieścinie! Oni nie wiedzą, ile tak naprawdę wiesz, a nasze kundelki podkulają ogon na myśl o klientach wikinga, co udowodnił choćby mój eks.

Patrzyłam na przyjaciółkę z otwartymi ustami, pełna podziwu i zarazem wstydu, że sama na to nie wpadłam. Ona miała rację – to ja mam asa w rękawie! Albo przynajmniej mogę blefować, że go mam. W końcu każdy brylant jest diamentem, ale nie każdy diament jest brylantem.

Tymczasem Betty ciągnęła:

– A potem zrobisz to, co każe ci prawnik. Ten, na którego dałam ci namiary, jest naprawdę zajebiście śliski. I doprowadzi cię do rozwodu jak prawdziwą damę. Tylko musisz schować skrupuły do kieszeni. I nie miej złudzeń – dodała – tutaj nikt ci dobrze nie życzy, a już na pewno nie twój mąż ani teść.

Wróciłam do domu o wiele spokojniejsza. I to nie tylko za sprawą szampana. Dzięki Betty zrozumiałam, że owszem, zostałam ograna i oszukana, mało tego – oszukują mnie dalej, ale to dopiero początek zabawy. Igrzyska jeszcze się nie zaczęły, a ja nie zamierzam ich przegrać. A już na pewno nie pozwolę na to, by Julio puścił mnie z torbami. Nie po to walczyłam o intercyzę, żeby teraz się przestraszyć i odpuścić. Za dużo wycierpiałam w tym małżeństwie, w tym domu, w tym miejscu, by się poddać. Jeszcze znajdę w sobie siłę i odwrócę zasady gry. Mało tego, zaprowadzę własny porządek!

Zaczynamy.

Runda pierwsza: przygotowania do balu.

Konstancin imprezami towarzyskimi i balami karmi się niczym drapieżnik swoją ofiarą. Takie rauty to idealna okazja, żeby pokazać swój lepszy profil, a trupy schować w szafie. Wszystkie. Można też zaprezentować, co szanująca się pani domu kryje w szufladach – i ile to kosztuje. Pora omówić konstanciński inwentarz od... kuchni!

Dobór porcelany, sztućców i szkła zawsze zależy od charakteru imprezy. Czy jest to bal, proszony obiad czy rodzinna kolacja. Dla rodziny wyjmujemy porcelanę klasyczną, czyli Biała Maria Rosenthala – kolor w zależności od pory roku: a więc klasycznie biel albo wiosenne kwiaty, albo bożonarodzeniowa szopka. Trzeba znać również różnice między zestawem do herbaty przy śniadaniu a tym do kawy podczas rodzinnego chilloutu w południe. Pomylisz dzbanki, a teściowa będzie cię obgadywać przez pół roku. Chociaż w sumie i bez tego będzie. Mając stół, przy którym wygodnie mieści się czternaście osób, trzeba mieć zastawę na dwadzieścia cztery osoby. Nie ma większej wtopy niż zbicie czegoś przed przybyciem rodzinki – i wcale nie dlatego, że talerz kosztował kilkaset złotych, ale ponieważ ciocia Krysia na pewno to skomentuje. Ale wracając do klasyków: must have każdej szanującej się pani domu to: serwis do herbaty, do kawy, śniadaniowy, obiadowy, kryształowy, waza, tortownica na nóżkach, talerze, talerzyki, patery, półmiski, dzbanuszki, wazony, świeczniki, pojemniki na marmoladę, miód, maselniczki, bulionówki i tak dalej. Chodzi o to, żeby mieć na stole zawsze – powtarzam: zawsze – więcej porcelany niż jedzenia (wtedy nawet wredna teściowa nie będzie w stanie policzyć, ile kilogramów porcelany przypada na osobę). Ważne, że stół za dwieście tysięcy zastawiony jest Białą Marią za kolejne dwieście. A to dopiero wersja standard. Edycje limitowane to kolejne pół miliona w szafach i spiżarniach używane dwa–trzy razy w roku. Joanna Przetakiewicz, mieszkanka Konstancina, wie o tym najlepiej. Pamiętacie zapewne jej storki na Instagramie, kiedy pokazywała, jak je jajo na miękko. Cały stół miała zastawiony porcelaną z logo swojej firmy, a na talerzu… jedynie jajo. Bardzo okazale to wyglądało. Księżniczki Konstancina doceniły minimalizm. Ten na talerzu.

Ale zostawmy jajo, pora na sztućce. Tu niezmiennie od 1824 roku rządzi marka HEFRA. Sztućce w wybranym modelu to na czternaście osób koszt sięgający nawet dwustu tysięcy złotych. Srebrna maselniczka „Fragetka" za sześć i pół tysiąca, oksydowana za siedem, łyżki wazowe po cztery tysiące sztuka to standard. A ile kosztuje cała srebrna zastawa na dwadzieścia cztery osoby, licząc łyżki, łyżeczki, widelce, widelczyki, noże do ryby, łyżeczki do soli, czerpak do sosu, noże do ciast i tortów... Panie domu z Konstancina jednak na takich rzeczach nie oszczędzają – w końcu to srebro, a poza tym spuścizna dla dzieci.

Kieliszki to kolejne niemałe wyzwanie. Te tak zwane domowe, najczęściej od Ralpha Laurena Home z kolekcji Hudson, kosztują sześćset złotych za sztukę.

A co z obrusami? Tak jak wszystkie inne tekstylia w domu (zasłony, poduszki, obicia łóżek), tak obrusy i serwetki są szyte na zamówienie pod wymiar i kolor. Bogacze uwielbiają wszystko, co ma herb i jest spersonalizowane. Panie z Konstancina najczęściej robią takie zakupy w salonie Archidzieło i w Vitkacu. W tym drugim zaopatrują się najczęściej nowobogaccy mieszkający na Złotej 44. Zwykle ledwie przez jeden sezon. W tym pierwszym można zamówić wszystko z niemal każdego zakątka ziemi, pod warunkiem że ma się na zbyciu co najmniej sto pięćdziesiąt tysięcy złotych. W takich ekskluzywnych miejscach obsługa również jest ekskluzywna i gotowa na wszelkie poświęcenia. Znana jest w Konstancinie opowieść o pewnej księżniczce, która za zajście w ciążę dostała od męża nietypowy prezent – kryształowy żyrandol Ralph Lauren Home Crowley Grande (tak, zawsze należy pamiętać takie nazwy, żeby odpowiadać na pytania wścibskich konstancinian) za prawie dwieście tysięcy złotych. Pani menedżer z salonu osobiście rozpakowywała i składała całą noc szkiełko do szkiełka, żeby rano, wchodząc do garderoby, księżniczka mogła cieszyć oczy widokiem zwisającego z sufitu dzieła sztuki.

Dzięki temu, że wszyscy najbogatsi zaopatrują się w garstce ekskluzywnych salonów w stolicy, o wpadkach nie ma mowy. Asystenci zakupów (tak, panie z Konstancina mają asystentów zakupów, a także prywatnych stylistów) wiedzą, że w konstancińskich rezydencjach nie może być dwóch takich samych stołów, sof czy lamp. Taka wpadka kończy się wypowiedzeniem. Oczywiście istnieje usługa osobistego doradztwa w doborze mebli czy oświetlenia dostępnych na całym świecie. Wyloty z klientami do Mediolanu, Paryża czy Nowego Jorku to dziś już norma. Rzecz jasna za dodatkową opłatą. Im bogacz więcej wyda na miejscu, tym większa będzie prowizja. W tym przypadku koszt nowych mebli dla rodziny w wersji dwa plus dwa to minimum sześć milionów złotych. Górnej granicy nie ma.

Inna konstancińska królewna miała pewną fanaberię. Poprosiła swojego asystenta zakupów o wysłanie maila do Roberto Cavalli Home z pytaniem, czy wyprodukują specjalnie dla niej materiał z limitowanej edycji, który standardowo miał tylko trzy kolory, a ona chciała czwarty. Po wymianie kilku maili przedstawiciele marki wyrazili zgodę. Przekonało ich dodatkowe zamówienie do pokoju babci. Konkretnie na panel ścienny (śmiertelnicy nazywają to tapetą – kompletnie passé) Roberto Cavalli Home Rc 19111 z kolekcji Home No. 8 – dwa tysiące za metr. Babunia potrzebowała trzydziestu metrów. Do tego tkaniny na obicie łóżka i dwóch foteli, każda za czterdzieści tysięcy. I dodatki must have, czyli nowe zasłony za dwadzieścia tysięcy, dwa wazony na świeże kwiaty, w tym duży z kolekcji Garden's Birds wykonany z wysokiej jakości porcelany Bone China oraz pokryty dwudziestoczterokaratowym złotem – sześć tysięcy każdy. Na kominku czy stoliczku nocnym, wiadomo, należy postawić fotografie najbliższych. Babunia wybrała ramki na zdjęcia z linii Home Python, a że zdjęcia lubiła i chętnie chwaliła się nimi przyjaciółkom, zażyczyła sobie dziesięciu sztuk (w sumie dwadzieścia pięć tysięcy). W blasku takich ramek bliscy ze zdjęć uśmiechali się szerzej, zęby mieli jakby bielsze, a włosy lśniące niczym bohaterowie bajek Disneya. Babunia, pieszczotliwie nazywana przez teścia ropuchą, lubiła też wypić kawusię, chwaląc się osiągnięciami córeczki – toż dziewczyna zdobyła męża milionera! Oczywiste więc, że musiała mieć zastawę na takie okazje. Taca Roberto Cavalli Home z kolekcji Jaguar za dwa i pół tysiąca, zestaw pasujących filiżanek za drugie tyle. Do tego porcelana – na mleko, cukier i miniciasteczka za dodatkowe sześć tysięcy. Dorzucenie do zamówienia korkociągu Cavalli za dwa tysiące czterysta złotych było już czystą fanaberią. Tym bardziej że babunia piła wyłącznie szampana. Oczywiście od czasu, kiedy córeczka poślubiła milionera. Podsumowując, babunia dostała pokój w panterkę z kanapą, stołem, kredensikiem i bibelotami za jakiś milion złotych, a córeczka zielone światło na czwarty, nieistniejący dotychczas, kolor materiału. Dzięki temu księżniczka była pewna, że nikt nie będzie miał takiego obrusu i serwetek jak ona. I to nie tylko w Konstancinie.

Rodzina rodziną, ale ważniejsi są inni multimilionerzy i domowe kolacje przygotowane przez panią domu. Oczywiście wspierają ją w tym szef kuchni, dwie pomocnice i dwóch kelnerów, ale wszyscy udają, że ich nie ma, i oklaski za danie główne – polędwicę Wellington – zbiera pani domu. W końcu to ona klepnęła menu zaproponowane przez szefa kuchni i posypała całość kiełkami (taki jej czarodziejski składnik). Mówimy w tej chwili o kolacjach dla trzech, czasem czterech małżeństw. Tutaj zastawa stołowa kompletnie różni się od wersji rodzinnej. Blat nie jest już przykryty obrusem, ponieważ trzeba się pochwalić włoskim dziełem sztuki – stołem robionym na zamówienie za jedyne trzysta tysięcy złotych. Talerze to już nie Biała Maria, ale Giraffa od Cavallego pokryta złotem i platyną. Sześć miseczek do ryżu z tej linii kosztuje prawie dziesięć tysięcy. Cała zastawa na dwadzieścia cztery osoby – jakiś milion złotych. Do tego, wiadomo, sztućce, też od Cavallego, ze stali szlachetnej za kolejne trzysta tysięcy. Ale czego się nie robi dla naszych „serdecznych przyjaciół", prawda?

Największe pieniądze widać jednak nie na obiadach czy kolacjach, ale na imprezach organizowanych przez bogaczy z Konstancina. W tym towarzystwie najmodniejsze są fety z okazji czterdziestych urodzin. Czasami odbywają się one w modnych restauracjach, specjalnie zamkniętych na tę okoliczność (Warszawa Wschodnia, Pałac Sobańskich, DOCK19). W Pałacu Sobańskich odbyła się czterdziestka pewnego męża pracującego w luksusowych czekoladkach. Szeroko znane są jego pikantne wyjazdy wakacyjne ze szczęśliwą żoną i dwójką dzieci sponsorowane przez teścia. Ale wracając do balu – a bal był maskowy, taki jak na filmach – mimo że pan zapewniał, iż nadal jest po uszy zakochany w swojej żonie, która notabene była bardzo atrakcyjną kobietą, na urodzinach niemal pod jej nosem zrobił, jak to mówią praskie chłopaki, palcówkę trzem paniom. Taki był melanż!

Aby stworzyć pozory idealnego małżeństwa, urządza się imprezy nie w restauracji, ale we własnej rezydencji. Ci bardziej doświadczeni wiedzą, że im bliżej domu, tym większa desperacja i cięższe grzeszki. Na takich domówkach dzieją się prawdziwe cuda. W konstancińskich rezydencjach są przeważnie dwie kuchnie – w jednej, tak zwanej brudnej, gotuje domowa kucharka zatrudniona na osiem godzin dziennie przez siedem dni w tygodniu; w drugiej kuchni, oficjalnej, pani domu posypuje danie kiełkami i taki własnoręcznie zrobiony posiłek podaje do stołu. Choć właściwie podaje go kelner.

Oczywiście szykując imprezę, o której wszyscy będą mówić przez kolejne kilka miesięcy, zatrudnia się profesjonalnych kucharzy. Uznaniem w Konstancinie cieszy się Mateusz Gessler i jego ekipa pomocników, kelnerów i asystentów. Pani domu bierze udział w wyborze menu, mistrz zajmuje się resztą – przywozi swoje stoły, sprzęty, patelnie. Bar z alkoholami pasującymi do wybranych dań również będzie gotowy, a barman przygotuje najmodniejsze drinki dla pań, panom zaś odradzi dolewanie coli do whisky, której butelka kosztowała tyle, ile wynosi jego trzymiesięczny czynsz za mieszkanie. Wszyscy z obsługi znają każdego gościa po nazwisku – ba, wiedzą nawet, jakie kto lubi alkohole. Konstancinianie to uwielbiają, a personel uwielbia ich napiwki. Za kucharza i jego ekipę na całą noc – w zależności od liczby gości i menu – gospodarz zapłaci nawet sto tysięcy złotych.

Obecnie w modzie są smaki azjatyckie. Tu szefowie kuchni odpowiedzialni są za karmienie anorektycznych żon i rechoczących mężów, pochłaniających surowe ostrygi w nadziei, że „dzisiaj będzie się działo". Takich wyspecjalizowanych kucharzy jest zaledwie garstka, nie dziwi więc, że są oni warci więcej niż wołowina Kobe, która leci na przyjęcie prosto z Japonii i kosztuje trzy tysiące złotych za kilogram. Jeśli chce się uświetnić przyjęcie wspomnianymi ostrygami, rybami, kawiorem czy homarem, trzeba wcześniej zadzwonić do banku z prośbą o przygotowanie dodatkowych stu tysięcy – w gotówce. Tak, w gotówce.

A co z muzyką? W bogatych konstancińskich domach wypada mieć fortepian, nawet jeżeli nikt nie umie na nim grać. Skoro więc służy głównie do ozdoby, musi się odpowiednio prezentować. W tym celu najlepszy jest nowoczesny model – przezroczysty Schimmel K213 Glass za osiemset sześćdziesiąt tysięcy złotych. Większość zwykłych śmiertelników kojarzy pewnie tylko Yamahę – cóż, śmiertelnicy już tak mają. ;) Najlepsze marki fortepianów to jednak Bechstein, Blüthner i Bösendorfer. Na początku przyjęcia gra tylko wynajęty pianista. Eleganckie wejście. Później dodajemy saksofonistę, a na deser, kiedy impreza się rozkręca, wchodzi DJ, sugerując potupanie nóżką na parkiecie. Taki tercet jest bukowany z kilkumiesięcznym wyprzedzeniem i właściwie pojawia się na wszystkich rautach w towarzystwie. Tak jak w przypadku szefów kuchni, kelnerów i barmanów, muzycy doskonale wiedzą, co zrobić, żeby impreza była udana.

Potańczone? Czas na deser! Tu na scenę wchodzą najlepsi cukiernicy w Polsce jak Galeria Słodkości czy Urszi. Przygotowują takie dzieła sztuki, że żal je jeść, ale przecież spróbować trzeba. Zwłaszcza kiedy jedna z milionerek Konstancina na swoją imprezę organizowaną w domu w Marbelli wysyła prywatnego jeta po właścicielkę Galerii Słodkości. Jetem oprócz cukierniczki leciała również ulubiona kwiaciarka z czterema pracownikami i mnóstwem białych kwiatów. To ona od lat dostarcza bogatym konstancinianom zarówno codzienne bukiety, jak i całe ciężarówki kompozycji na przyjęcia i bale. I tak skromna kwiaciarka, którą dostrzegła kiedyś zamożna żona Konstancina, niczym Kopciuszek stała się prawdziwą księżniczką.

Rezerwowanie tych samych szefów kuchni, ich kelnerów, barmanów, cukierników, muzyków czy kwiaciarek co inni jest bardzo wygodne. DJ wie, przy których utworach towarzystwo bawi się najlepiej, kelnerzy wiedzą, która żona Konstancina ma słabą głowę, a na którego męża trzeba mieć oko, bo jak się nawciąga za dużo białego pyłu, to trzeba będzie go reanimować. Tak, w tym towarzystwie trzeba być przygotowanym na wszystko, dlatego torba medyczna z zestawem pierwszej pomocy towarzysząca takim przyjęciom zawstydziłaby niejeden stołeczny SOR. Wszystkie ekipy znają się tu ze sobą i razem funkcjonują jak... idealnie nastrojony fortepian.

Takie imprezy są w Konstancinie standardem. Ale kiedy ktoś chce zatuszować coś naprawdę wielkiego albo wybłagać żonę, by dała mu jeszcze jedną szansę i nie pokazywała publicznie jego kompromitujących zdjęć, musi postarać się bardziej. Wtedy cena nie gra roli i jeżeli ukochaną piosenkarką pani jest Beyoncé, pan sprzedaje sztabki złota i ściąga gwiazdę do Konstancina. Tak, to miejsce zna takie historie.

I właśnie taki rozmach miał towarzyszyć naszej imprezie. Nie mogliśmy sobie pozwolić na przeciętną konstancińską domówkę. Goście mieli się tak zachłysnąć luksusem, przepychem, oryginalnością i wyobraźnią nas w roli gospodarzy, żeby nie zauważyć, że chcemy tymi piórkami, brokatem i słodyczą przykryć znacznie więcej niż tylko rozpad naszego małżeństwa. I udało się – o naszym balu Konstancin mówi do dziś. Ale do tego jeszcze wrócimy. Wszak byłam dopiero na etapie zamawiania u jednego niszowego, ale znanego w kręgach bogaczy rysownika z Mediolanu własnoręcznie wykonanych zaproszeń.

Tymczasem wzięłam sobie do serca słowa Betty i prawnika dotyczące „zabezpieczania tyłów". Potrzebowałam nie tylko haków na Julia, ale też dowodów na to, że nasze małżeństwo nie jest białym małżeństwem, a to znaczy, że całkowicie wybaczyliśmy sobie wcześniejsze przewiny. Jak jednak miałam zaciągnąć Julia do łóżka, skoro odkąd wróciłam do Konstancina, spał w swoim pokoju zamknięty na klucz? Poza tym kiedy nikt nie patrzył, był dla mnie zimny i opryskliwy. Seks nagrany wcześniej w domu nie wchodził w grę. Zawsze mógł powiedzieć, że materiał jest spreparowany. W dzisiejszych czasach nawet średnio bystry licealista jest w stanie zmontować filmik tak, że ciotka Krysia będzie spółkować z Clooneyem. Potrzebowałam czegoś bardziej wiarygodnego. Ktoś musiał być świadkiem naszych igraszek. Moja matka? Nie, jej wiarygodność podważyłby nawet głuchy sędzia. Miałam zagwozdkę i musiałam ją szybko rozwiązać. Ale jak to mówią, dla chcącego nic trudnego. Olśniło mnie, kiedy wchodząc do garderoby, zobaczyłam swoje od dawna nieużywane sportowe ubrania. Aż mi się oczy zapaliły z zachwytu.

Od razu zadzwoniłam do Betty.

– Wiesz, że masz genialną przyjaciółkę? – zaczęłam entuzjastycznie.

– Pomyłka – odpowiedziała moja przyjaciółka.

– Pomyłkę to zaliczy Julio w fitness klubie, a konkretnie pod prysznicem. Zamierzam zaciągnąć go do damskiej szatni i uprawiać z nim tak głośny seks, żeby wszystkie żony Konstancina pracujące nad swoimi jędrnymi tyłeczkami miały kisiel w majtkach! – perorowałam.

– No, no, zaczyna się interesująco…

– Ale oczywiście bez ciebie nie uda mi się tego dokonać – dodałam dla jasności.

– Trójkącik z Juliem? – parsknęła Betty. – Nie, dziękuję. Nie obraź się, ale on ostatnio nie wygląda najlepiej. Dawaj mu mniej masła na kanapki i kupuj colę zero, bo skończy z kołem ratunkowym wokół brzucha.

– Bardzo śmieszne. Lepiej powiedz, czy jedenasta nadal jest oblegana przez królewny i królowe? – zapytałam.

– Tak, ale najwięcej żylastych suczek jest na dziewiątą na pilatesie u Kevina... – Betty nagle przerwała, po czym krzyknęła: – Czekaj! To ty masz genialną przyjaciółkę! – A potem wtajemniczyła mnie w swój pomysł.

Jak zwykle Betty w intrygach owianych mgiełką skandalu nie miała sobie równych. Być jej przyjacielem to wielki zaszczyt. Być jej wrogiem? Nie warto!

Teraz musiałam tylko dobrze to wszystko ograć. Po pierwsze, zaciągnąć Julia na fitness. Po drugie, uwieść go tam. Po trzecie, zaprowadzić go do damskiej szatni przy sali Kevina. Bułka z masłem.

– Chodźmy jutro rano na siłownię – zaproponowałam kolejnego dnia, gdy kończyliśmy śniadanie. – O dziewiątej żony Konstancina mają pilates. Dobrze by było, gdybyśmy na nie wpadli.

– Odpada, kolano mnie boli – odburknął. – Dlaczego na tych grzankach jest tak mało masła?

No tak, jak zwykle schody. Ale żony Konstancina, nawet te wkrótce abdykujące, nie poddają się tak łatwo.

– Przecież nie musisz robić przysiadów – przekonywałam najmilej, jak umiałam. – Pojeździsz sobie na rowerku, to dobre na kolana, a ja w tym czasie poćwiczę. Chodzi o pozory. Niech żonki zobaczą, że nawet na siłownię chodzimy razem jak pieprzone papużki nierozłączki. – Podsunęłam mu pod nos srebrną maselniczkę.

Julio obficie posmarował sobie trzecią grzankę i dopiero wtedy spojrzał na mnie od niechcenia.

– Niech będzie. O której ten pilates?

Trafiony, zatopiony.

– O dziewiątej. Ale bądźmy tam już o ósmej.

– Okej – powiedział, dojadł grzankę i wyszedł z jadalni.

Chwilę później usłyszałam, jak odjeżdża spod domu z piskiem opon.

Resztę dnia spędziłam na dopracowywaniu planu i kompletowaniu stroju na siłownię. To musiało być coś naprawdę sexy. Zazwyczaj, kiedy szłam na ćwiczenia z Betty, nakładałam czarne legginsy i obcisłą koszulkę w tym samym kolorze, ale ten zestaw nie spełni swojej roli.

Na szczęście na ósmą zarezerwowałam indywidualne ćwiczenia z trenerem personalnym. Będziemy sami w kameralnej salce, więc żadna konstancińska żonka ani matronka nie zobaczy mojego stroju, który nie będzie pasował do tutejszego dress code'u. Na siłowni w Konstancinie i Wilanowie obowiązuje bowiem niepisana zasada – panie ćwiczą tylko w trzech kolorach. Czarnym, brązowym i beżowym. Nie jest w dobrym guście odkryty brzuch, nawet jeżeli jest co pokazać. Legginsy powinny być albo do kostek, albo tuż przed. Takich zestawów miałam całą szufladę, ale w niczym podobnym nie skuszę Julia. Potrzebowałam czegoś bardziej wyuzdanego. Najlepsze byłyby lekko prześwitujący top i szorty. W Royal Collection w Wilanowie znalazłam idealny zestaw w kolorze beżowym. Wyglądałam w nim jak... rasowa prostytutka. Boże, żeby tylko nikt mnie w tym nie zobaczył, bo spalę się ze wstydu!

Włożyłam nowe wdzianko i przejrzałam się w lustrze. Moje wyćwiczone, szczupłe i nadal jędrne ciało wyglądało w nim bardzo apetycznie. Kurde, sama bym na siebie poleciała! Stwierdziłam jednak, że nie może mnie w tym zobaczyć nikt poza Juliem, dlatego wieczorem odwołałam trenera personalnego. Powiedziałam, że mąż ma kontuzję kolana i przyjdzie rano, żeby spokojnie pojeździć na rowerku. Trener potwierdził, że trzyma dla nas kameralną salkę, gdzie nikt nie będzie nam przeszkadzał.

Rano wstałam o świcie, żeby zrobić się na bóstwo. Włosy ułożyłam w seksowne surferskie fale. Wykonałam też perfekcyjnie niewidoczny makijaż, który podkreślał wszystko, co miał podkreślać. Bez dwóch zdań wyglądałam jak soczysta morelka. Na swój seksowny strój nałożyłam luźne białe dresy Polo i tak wyszykowana zeszłam na dół, żeby zrobić nam po koktajlu energetycznym.

Po chwili zastanowienia wrzuciłam do porcji Julia małą tableteczkę, żeby mieć pewność, że mój plan wypali. Wierzyłam w siebie, wiedziałam, że wyglądam jak rozgrzana kocica i dziewięciu na dziesięciu facetów nie mogłoby oderwać ode mnie rąk, ale zawsze zostawał ten jeden jegomość. Nie mogłam ryzykować, że będzie nim mój mąż.

Julio swój koktajl wypił duszkiem, co mnie ucieszyło, bo tabletka zaczynała działać po półgodzinie. Szturm będzie dwustronny, pomyślałam, uśmiechając się do siebie.

– A ty co taka zadowolona? – burknął Julio.

– Rolę ćwiczę. Tobie też bym radziła. Jeżeli Konstancin ma uwierzyć w tę szopkę, musisz się bardziej postarać – odpowiedziałam.

Kiedy dojechaliśmy na siłownię, Julio od razu wziął moją torbę z ręcznikiem, wodę i złapał mnie za rękę. Na schodach klepnął mnie w tyłek, choć – wiem, bo się rozejrzałam – nikt na nas nie patrzył. No, tabletka zaczyna działać, pomyślałam z nadzieją.

W sali faktycznie byliśmy sami. Włączyłam energetyczną muzykę i poszłam do szatni zdjąć dres. Specjalnie robiłam to tak długo, by mieć pewność, że Julio jest już na sali. Udało się.

Pedałował, popijając wodę. Na mój widok aż się zachłysnął.

– Zamierzasz w tym ćwiczyć? – zapytał zszokowany.
Spojrzałam na siebie od niechcenia.
– Tak, a co?
– Nie, no nic. Musi ci być wygodnie w tym… niczym – wybełkotał i zdejmując z siebie bluzę, dodał: – Przynajmniej nie jest ci gorąco.

Ćwiczenia zaczęłam jak zawsze od rozciągania. I tak się złożyło, że najwięcej miejsca było naprzeciwko pedałującego Julia. No cóż, miał widoki. Wypinałam się, rozciągałam i prężyłam tak długo, aż zobaczyłam, że Julio jest cały czerwony. Następnie przeszłam na bieżnię. Zwiększałam tempo, cały czas zerkając, czy mój falujący biust robi odpowiednie wrażenie. Robił.

W końcu, lekko spocona, podeszłam do Julia i zapytałam, czy pomoże mi przytrzymać ciężarki. Pomógł, choć widziałam, że schodząc z rowerka, szybko przewiązuje bluzę wokół brzucha. Ciekawe, co tam ukrywał...

Po kolejnym kwadransie ćwiczeń w pocie czoła poprosiłam męża, żeby rozmasował mi kark. I plecy. I lędźwie… Dalej prosić nie musiałam, bo Julio nie wytrzymał napięcia – przerzucił mnie przez ramię jak strażak i zaniósł do szatni. Tam zdarliśmy z siebie ubrania i weszliśmy pod prysznic.

To był długi, namiętny, wygłodniały seks. Przyznaję, było mi tak dobrze, że nie musiałam udawać. Oboje miauczeliśmy jak koty w rui. Miałam wrażenie, że momentami Julio głośniej niż ja. Po wszystkim, a trwało to dobre pół godziny, wyszliśmy z łazienki... wpadając prosto na przebierające się na pilates u Kevina żonki. Po ich minach było widać, że mój plan się udał. Widziały i słyszały, co trzeba – teraz plotka pójdzie w miasto i będzie czynić dobro. Odegrałam swoją rolę oscarowo – ich widok tak mnie zdziwił, że aż się zarumieniłam. Za to Julio zrobił coś absolutnie genialnego – pocałował mnie namiętnie na oczach żon i powiedział:

– Wybaczcie, drogie panie. Same rozumiecie, nowożeńcy. To się nazywa strzelić sobie pięknego samobója!

Zanim dojechaliśmy do domu, dostałam od Betty wiadomość, że w ulu już bzyczy.

Ach, Konstancinie, łatwiej cię podejść, niż od ciebie odejść.

Po tym wykonie trzeba było kuć żelazo póki gorące. A Konstancin płonął. Akurat była niedziela, więc po leniwym rodzinnym obiadku w Różanej wypadało zaprezentować się towarzystwu. Ja w chanelce ze skóry pytona malowanej złotem za sto tysięcy złotych, Julio w szytych na zamówienie butach z lekko zadartym noskiem – każdy milioner wie, o jakich mówię. Te jego były ze skóry strusia i kosztowały kolejne sto tysięcy. Wiktoria też wyglądała jak mała księżniczka, od stóp do głów ubrana w Moncler w różu i fuksji. Byliśmy wyluzowani, szczęśliwi, w uśmiechach szczerzyliśmy nasze wybielone, podkręcone gdzieniegdzie licówkami zęby. I tacy spacerowaliśmy po Konstancinie...

Zatem zapraszam na spacer po Konstancinie. Zaczynamy od ulicy Sienkiewicza i alei Miłośników Konstancina – w końcu jesteśmy nimi całym sercem. To miejsce to równoległe uliczki, między którymi znajduje się przepiękny pas zieleni, pełen drzew i kwiatów. Najpiękniej jest, kiedy kwitną róże, oczywiście białe – Konstancin nie uznaje kwiatów innego koloru. Kawałek dalej, na przedłużeniu parku Zdrojowego, za kościołem, znajduje się dom pewnego znanego w show-biznesie aferzysty. Gwiazdor tak się boi publiki i swoich dawnych zwierzchników, że kamery ma lepsze niż w Pałacu Prezydenckim. Na pierwszy rzut oka nic ciekawego – domek dla służby, a dalej willa króla. Za to środek zaskakuje. Cały dom został wyłożony brązowym granitem Aurora. Zwykłym ludziom granit kojarzy się z blatem kuchennym albo nagrobkiem, ale dla obrzydliwie bogatych, za to mało obytych właścicieli pałaców to idealny surowiec na podłogi, ściany, schody, umywalki i filary, zza których zaraz zapewne wyskoczy Alexis Colby z *Dynastii*. Pan ma nawet wyrzeźbioną z granitu wannę. A ponieważ on i jego żona są już w podeszłym wieku, żeby nie skończyć żywota na śliskich granitowych schodach, zamontowali sobie złotą windę, której blask wręcz oślepia.

Idąc dalej w stronę ulicy Piotra Skargi, można zachwycać się domami naturalnie ukrytymi za konarami drzew i krzewów – i to jest przedwojenna klasa. Tu monitoring z pewnością jest równie imponujący jak u prezydenta, ale dyskretny, wtopiony w zielone krzewy, kwitnące magnolie, pachnące cisy i zwisające z płotów wisterie. To właśnie w tych domach organizowane są bale, na które przyjeżdżają artyści jazzowi z całego świata.

Skręcamy w prawo i znowu widzimy park Zdrojowy, ale z innej strony. Właściwie park z każdej strony prezentuje się dumnie. Idealna wizytówka Konstancina. Dalej mijamy Beza Cafe, gdzie w tygodniu mamuśki z maluchami plotkują, zajadając pyszną pavlovą.

Obok ulica Źródlana – to właśnie przy niej znajduje się przepiękna restauracja Różana. Na końcu ulicy jest odrestaurowana Villa Poranek, za nią kolejna imponująca rezydencja i tak doszliśmy do niskiego bloku z wielkiej płyty z lat siedemdziesiątych. Tam nie wchodzimy, strzepujemy buty i wracamy do własnej patologii. Robimy zwrot na pięcie i kierujemy się na ulicę Mostową, która jest konstancińską promenadą nad rzeczką Jeziorka. Na końcu ulicy znajduje się dawna willa Zachertówka. Od lat stała zniszczona i zaniedbana, ale pewien młody prezes ze swoją śliczną żoną kupili obiekt, a gwoli ścisłości, całą ulicę Sułakowskiego, żeby ich dzieci miały gdzie bezpiecznie się bawić. Po drugiej stronie Sułakowskiego znajdują się rezydencje godne rodziny królewskiej. Ten blichtr i klasę trzeba zobaczyć na własne oczy.

Dalej idziemy Wojewódzką – tutaj też mieszka bardzo bogaty i znany z dawnych czasów pan. A ponieważ pan nie jest zbyt towarzyski i nie lubi sąsiadów, to – też w dobrych czasach, kiedy jeszcze gościł u różnych towarzyszy – kupił trzy zachodnie działki z domami. A co! I teraz pan cieszy się ze świętego spokoju i pewnie całymi dniami liczy, ile może zarobić, sprzedając kiedyś te wszystkie dobra. Pomożecie? Pomożemy! Biorąc pod uwagę, że w tym miejscu obecnie dom z działką kosztuje około dwudziestu milionów, a działek pan posiada pięć, łatwo policzyć, ile mógłby zarobić.

Dobrze, idźmy dalej. W konstancińskich uliczkach w strefie A (podział oficjalny geodety) istnieją podgrupy. Pierwsza to nowobogaccy – ci ukrywają swoje wille za wysokimi płotami i tujami, choć w Konstancinie ograniczenia prawne jasno mówią, że dom musi być widoczny, aby było wiadomo, że właściciel za płotem nie skrywa domu na kurzej nóżce. Dlatego spryciarze wystawiają dla publiki domek dla ochrony i monitoring na trzysta sześćdziesiąt stopni, który widzą wszyscy. Ci w kosmosie też. Prawdziwy dom jest zaś tak ukryty, że skarbówka latami nie może tam trafić.

Druga grupa to prawdziwa śmietanka konstancińska – *old money*. Oni nie kupują domów ani nie stawiają nowych na wielkich działkach. Ich obowiązkiem rodowym jest restaurowanie tego, co odziedziczyli. Kamery są tu ukryte, żeby nie psuć pięknego charakteru ogrodów. Domy tej grupy charakteryzują się... dużą ilością widocznych kabli. Od lamp stojących i tych stołowych, które podkreślają piękno i klasę wnętrza. Dlaczego? Otóż rodowici konstancinianie nie mogą – ale też nie chcą – niszczyć ścian, na których pozostały oryginalne, ponadstuletnie freski, kamienie i sztukaterie, tylko po to, by ukryć kable.

Trzecia grupa to ludzie różnej maści, którzy dzięki zmianie ustroju w Polsce w latach dziewięćdziesiątych dorobili się fortuny i stojąc na swoich grubych portfelach, zaglądali za wysokie płoty w Konstancinie w poszukiwaniu idealnej działki na rodzinny dom. Czym się różnią od nowobogackich? Ano tym, że skoro pracują z różnymi „organizacjami" zza wschodniej granicy, chcą mieć luksus na skalę światową, ale taki, który widzą nieliczni. Być może wiedzą, że jeżeli wychylą głowę za swoje piękne tuje, ktoś po drugiej stronie zamiast kulą w płot trafi kulą w łeb. Niestety, dosłownie. To właśnie panowie z tej grupy sprowadzają architektów z całego świata, żeby zaprojektowali domy marzeń dla ich żon. Oczywiście prywatnymi jetami rosyjskich oligarchów. I nieważne, że pan poznał żonę, jak skrobała mu pięty w salonie kosmetycznym. Teraz urodziła mu trójkę dzieci i zasługuje na luksus na światowym poziomie.

Przynajmniej do czasu. Bo jak to w Konstancinie bywa, termin przydatności większości żon się kończy, kiedy ostatnie dziecko jest już jedną nóżką na studiach w Londynie czy gdzie indziej w świecie. Wtedy pan robi ruch, którego żona się nie spodziewa – znajduje bezpieczną przystań w Szwajcarii w ramionach brazylijskiej miss. Uzbrojona po sam dach ołowiem rezydencja trafia na sprzedaż, podobnie jak bentley żony. I tak, zamiast pływać jachtem po wodach Lazurowego Wybrzeża i pić szampana, jak mąż obiecywał, pani jest zmuszona wrócić tam, skąd przybyła.

Ostatnia grupa to zwykli zjadacze kotleta schabowego, którzy mieszkają otoczeni luksusem... sąsiadów. Po drugiej wojnie światowej mnóstwo willi zostało odebranych rodowitym właścicielom i przeznaczonych na kwaterunek. Brak środków finansowych nowych mieszkańców na odnowę konstancińskich willi przyczynił się do dewastacji zabytkowych miejsc. Ostatnio coraz częściej słyszy się, że Konstancin płonie. Dosłownie – w starych, zabytkowych willach wybuchają tajemnicze pożary... W każdym razie ta plejada najróżniejszych osobowości sprawia, że Konstancin-Jeziorna jest dość niespójny dla oka, choć tak pożądany dla serca.

Tak jak się spodziewaliśmy, na niedzielnym spacerze mijaliśmy co ważniejszych konstancinian. Julio nie puszczał mojej ręki nawet na chwilę, co po godzinie było już nieco uciążliwe. Ale najważniejsze, że robota została wykonana. Za to ja testowałam na samcach Konstancina swoje nowe umiejętności. Bo co z tego, że dostałam od losu słabe karty? Najważniejsze to udawać, że chowa się asa w rękawie.

– O, witajcie! Miło was widzieć! Znowu w komplecie? – zatrzymał nas jeden z tych typów, którzy gdyby tylko mogli, najchętniej wjechaliby walcem w tyłek Julia. W mój też.

– Dzień dobry – odpowiedzieliśmy chórem i niczym upaleni trawą nastolatkowie wybuchnęliśmy śmiechem.

– Kryzys zażegnany? Podobno nic tak nie wzmacnia małżeństwa jak chwilowa zabawa w nie swojej piaskownicy – wypalił typ, notabene dawny wspólnik mojego pierwszego męża, który jak dzieciak dał się wykurzyć z biznesu.

– Tak, nowa piaskownica i nowi znajomi potrafią zdziałać cuda. Ach, zapomniałabym! Miałam cię pozdrowić od Iva... czy Ivana... mylą mi się ci chłopcy. – Mówiąc to, zbliżyłam się do jego ucha. Nie chciałam, żeby mój mąż słyszał, co mam do przekazania jego kumplom.

Oczywiście strzelałam, ale Konstancin nauczył mnie, że czasami wystarczy uderzyć w stół, a nożyce naprawdę się odezwą. Okazało się, że trafiłam. Koleś zrobił się blady, a na czoło wystąpiły mu krople potu. Szybko się z nami pożegnał i pognał do swojej ukrytej za tujami willi.

– Co to było? – zapytał zdumiony Julio. – Wyglądał, jakby się czegoś przestraszył.

– Przekazałam mu pozdrowienia od jego kochanki. – Wzruszyłam ramionami. – Poznałam ją w Wilanowie, urocza dziewczyna. Podobno przestał opłacać jej apartament i teraz biedaczce grozi eksmisja. A szkoda by było, bo jest w ciąży...

– Żartujesz? Taki niegrzeczny z niego kocur? To się chłopaki zdziwią!

Win-win! Dwie plotki puszczone w eter, a to dopiero pierwsza osoba, na którą wpadliśmy. Jak tak dalej pójdzie, zanim dotrzemy do naszego domu, konstancinianie rozwiną przede mną czerwony dywan.

Później nie było już tak owocnie, wpadaliśmy jedynie na mniej znaczące plotkary, ale przynajmniej miałam pewność, że wszystkie żony i matrony dowiedzą się o moim nowym pytonie.

Spacerując dalej ulicami Konstancina, układałam w głowie plan na dalsze dni. Potrzebowałam haków na Julia, jakichś jego brudów, i to nie tych wcześniejszych, bo te, przynajmniej w obliczu prawa, wybaczyłam mu pod prysznicem na siłowni. Potrzebowałam czegoś nowego. Ciepłego, krwistego mięska. A kiedy myszy harcują? Kiedy kota nie ma w domu. Niestety, Julio w najbliższym czasie nie planował żadnego wyjazdu.

Szkoda, bo zapewne sam dostarczyłby mi sporo materiału dowodowego.

Od razu przypomniała mi się historia jednej z konstancińskich żon na wylocie. Pani swoim wykonem pokazała, że ma większe *cojones* od swojego męża. A było tak. Państwo od kilku miesięcy byli w separacji. On wyprowadził się z willi w Konstancinie, ona powoli pakowała swoje rzeczy, bo wiedziała, że po rozwodzie i tak nie będzie tu mieszkać. Rozmawiali ze sobą głównie przez prawników. Bardzo typowa sytuacja. On zdradzał ją przez lata i było dobrze – ona raz pozwoliła sobie na skok w bok i już rozwód z jej winy, darcie intercyzy, straszenie gorylami. Reasumując: nic, czego Konstancin by nie słyszał i nie widział. Jedyne, co nadal państwa łączyło, to ich słodki synek, którego oboje bardzo kochali. Mały książę był oczkiem w głowie tatusia i jedyną kartą przetargową mamusi. Dlatego kiedy małżonek razem ze swoimi ustawionymi i bardzo wpływowymi przyjaciółmi chciał się wybrać na męskie luksusowe wakacje na Mykonos i zabrać ze sobą synka, musiał porządnie sypnąć groszem żonie, żeby uzyskać pozwolenie i – co ważniejsze – paszport dziecka. Pani w końcu się zgodziła, zwłaszcza że sama potrzebowała odpocząć i porządnie się wyspać. Schowała grosz do skarbonki i spakowała walizkę synkowi. Wydawało się, że nic złego nie może się stać, zwłaszcza że panowie bezpiecznie dotarli do jednego z najbardziej luksusowych hoteli na wyspie. Mąż spędzał czas z kumplami i małym dziedzicem, a żona w willi w Konstancinie zajmowała się swoimi sprawami. Problemy zaczęły się trzeciego wieczoru, kiedy mama po rozmowie z juniorkiem zorientowała się, że ten jest sam w pokoju z innym rówieśnikiem, sześciolatkiem, a opiekuje się nimi śpiący za ścianą pijany jak bela tata kolegi. Tymczasem mąż nie odbierał telefonu... za to wrzucał na Instagram filmiki, których wrzucać stanowczo nie powinien.

To podziałało na żonę jak płachta na byka. Niewiele myśląc, spakowała swoje najlepsze kiecki i kostiumy kąpielowe i kupiła bilet na najbliższy lot na wyspę, żeby ratować swojego jedynaka. Szczęście jej nie opuszczało, bo akurat zwolniło się jedno miejsce w samolocie lecącym na Mykonos za dwie godziny. Zdążyła. O drugiej w nocy wylądowała na lotnisku, a już godzinę później, niezauważona, nagrywała swojego męża, jak w stanie wskazującym na lekką przesadę nie tylko w procentach, ale także w innych używkach, zabawia się z paniami, z którymi bawić się nie wypada. I to nie tylko, kiedy jest się mężem. W tym czasie słodki synek spał już spokojnie pod okiem zatrudnionej opiekunki w pokoju, który pani wynajęła w tym samym hotelu.

Do świtu żona zdobyła taką dokumentację na męża, że sama się zastanawiała, co z nią zrobić. Wiedziała, że to, co zobaczyła i uwieczniła, na zawsze zrujnowałoby jego biznesową reputację. A przecież tego nie chciała – w końcu z czegoś te alimenty musi płacić.

Rano, kiedy synek otworzył swoje śliczne oczka, pani, już wykąpana i wypachniona, była gotowa na śniadanie. Na nim spotkała męża, który swojej imprezy jeszcze nie zakończył. Jego mina, gdy zobaczył żonę trzymającą za rękę ich synka, była warta każdej ceny. Podobno wytrzeźwiał w sekundę, stanął na baczność i nawet nie bełkotał. Co się działo później? Podobno pani przy deserze dyskretnie pokazała panu, co na niego ma. I do końca wakacji pan grzecznie nosił za nią torbę, wodę i parasol.

Ta opowieść natchnęła mnie do tego, żeby dać Juliowi trochę wolności. W końcu kto wie, jak tym razem zachowa się mój mąż, kiedy pozwolę mu poluzować krawacik?

Żeby zrealizować swój plan, znowu potrzebowałam pomocy jedynej dobrze mi życzącej duszy w Konstancinie.

– Chcesz się wybrać ze mną, Wiktorią i mamą na weekend do Bryzy? – zapytałam Betty jeszcze tego samego dnia.

– Nie – odpowiedziała jak zwykle rzeczowo.

– Trudno, i tak pojedziesz. Jeżeli zostaniesz w Konstancinie, Julio nie będzie się czuł swobodnie.

– A od kiedy jesteś jego gumką w gaciach?

– Od kiedy moja mądra przyjaciółka powiedziała mi, że powinnam zbierać amunicję. Właśnie to robię. Jedziemy do Bryzy i modlimy się, żeby Julio w tym czasie ostro poszalał.

– Ale że tak sam z siebie? Bez żadnej zachęty? Żartujesz?

– prychnęła Betty. – Rozumiem, że wynajęłaś już detektywa,

ale jeżeli nie chcesz dostać fotek, na których twój mąż wpieprza steka i ogląda mecz, musisz szczęściu dopomóc.

– Co masz na myśli? – zapytałam z nowym zainteresowaniem.

– To, że musisz mu ten weekend zorganizować. Z moją skromną pomocą oczywiście.

– Mów dalej...

– Po pierwsze, Konstancin musi się dowiedzieć, że w tym czasie nie będzie cię w mieście. Po drugie, ktoś z ich samczego klubu musi się wprosić na domówkę Julia i ściągnąć tam pozostałych samców. I ma to wyjść naturalnie. Wiem już nawet, kim będzie ten ktoś.

– No? – Ciekawość już mnie zżerała.

– Sasza.

– Żartujesz? Dlaczego on? I jak chcesz to załatwić?

– Będę z nim jutro rozmawiała w sprawie jednej z naszych firm i niby przypadkiem napomknę, że w weekend wybieram się z wami do Bryzy. A resztę, jestem pewna, załatwi sam. – Betty parsknęła śmiechem.

– Aż tak dobrze go znasz? – zapytałam, jeszcze nie do końca rozumiejąc, do czego galopuje moja przyjaciółka.

– Sasza wie o twoim pobycie na jachcie, wie, że zostałyśmy oszukane, ale nie wie, w jaki sposób Julio zdołał cię odbić. Będzie chciał to z niego wyciągnąć, zwłaszcza że on naprawdę uważa wikinga i tych ruskich za mafię przez duże M. Dlatego jestem pewna, że pod waszą nieobecność chętnie złoży wizytę twojemu mężowi.

– A wtedy my musimy już tylko żonkom w Papierni, kwiaciarni i na masażu stóp szepnąć na uszko, od niechcenia, rzecz jasna, że Sasza w weekend bawi się z Juliem...

– Widzę, że łapiesz.

– Staram się wejść w twój diabelski umysł.

– Ciepło, ciepło, moja droga. Dokładnie tak. Żonki lojalnie powiedzą o tym swoim mężulkom, a oni koniecznie będą chcieli uczestniczyć w tym spotkaniu. Zrobi się taki bałagan, że nikt już nie dojdzie do tego, kto pierwszy zaprosił samców do twojego męża.

– A co z jedzeniem i tak dalej?

– No przecież każdy przyniesie coś ze sobą. Poza tym my będziemy zarządzały tematem z Bryzy. W odpowiednim momencie wjedzie catering. A po północy, kiedy wszyscy już zapewne będą mieli nieźle w czubie, złożą im wizytę luksusowe panie.

– Betty, boję się ciebie i twojego geniuszu – przyznałam.

– Ale masz rację: w tym chaosie nikt nie będzie wiedział, kto co przyniósł, kogo zaprosił, po kogo zadzwonił.

– O drugiej w nocy zazwyczaj kończy się czarodziejski pył, więc zamówimy dilera, który dostarczy im gorący jak bułeczki towar. Jeżeli Julio oprze się tym wszystkim pokusom, to znaczy, że jest pieprzonym świętym. A obie wiemy, że nie jest – dokończyła triumfalnie Betty.

Moja przyjaciółka uważała, że nie ma stada, którego nie da się poprowadzić. Zwłaszcza jeśli jest to stado napalonych jeleni. Trzeba tylko dopracować szczegóły, zamówić najseksowniejsze i zarazem najbardziej wyuzdane dziewczyny – i *voilà*! Niech się dzieje magia.

Pomyślałam, że dobrze by było, gdybym miała swojego szpiega – dziewczynę, która zrobi na kolanach Julia to, o co ją poproszę i za co jej zapłacę. I najważniejsze: wszystko nagra. Wtedy dostałam kolejnego olśnienia. Przypomniała mi się moja dawna koleżanka z czasów, kiedy pracowałam jeszcze jako modelka i reklamowałam bieliznę. Anka zawsze miała mnóstwo nietypowych znajomych, ponoć znała nawet pewną sutenerkę. Odezwę się do niej – na pewno nie odmówi mi pomocy.

Pod koniec tygodnia wszystko było zaplanowane, zamówione i opłacone – z dilerem i dziewczynami włącznie. Betty miała rację, Sasza zamierzał wprosić się do Julia. Mój mąż sam mi o tym powiedział, kiedy oznajmiłam, że wybieram się na weekend do Bryzy.

Nie mogłam uwierzyć, że każda rybka tak łatwo połknęła haczyk. Żonki Konstancina szepnęły to i owo swoim mężom, a ci nawet nie pytali, czyim asystentem jest pan dzwoniący do nich z zaproszeniem na domówkę u Julia. Dziewczynę, która miała uwieść mojego męża, wybrałam i przeszkoliłam osobiście. Wiedziałam, że ognistej piękności z dużym biustem, do złudzenia przypominającej Christinę Hendricks z serialu *Mad Men*, mój mąż na pewno nie odmówi. Zwłaszcza kiedy ta usiądzie mu na kolanach i zacznie uwodzicielsko skubać zębami jego ucho. Julio uwielbia tę pieszczotę. Oczywiście rudowłosa piękność była uzbrojona w profesjonalny sprzęt do nagrywania wszystkiego, co panowie z Konstancina zamierzali tej nocy robić. Sama się bałam, co zobaczę...

W piątek rano, jakby nigdy nic, spakowałam Wiktorię i matkę do samochodu, dałam buziaka mężowi i odjechałam spod naszej willi. Po drodze minęłam się z detektywem, który miał śledzić każdy krok Julia. Betty wysłała ogon za Saszą. Ona jednak miała to szczęście, że bardzo – zdecydowanie za bardzo – lubiła się z kierowcą byłego męża i kiedy tylko potrzebowała, korzystała z jego pomocy.

I tak, jeszcze zanim dojechałyśmy do Bryzy, wiedziałyśmy, że orzeł wylądował w gnieździe, ptaszynki szykują się do lotu, gołąbek pocztowy już raz zaparkował pod naszym domem, wrony kraczą, a sokół z aparatem siedzi w domku na drzewie naszej córki i rejestruje wszystko, co dzieje się u nas w ogrodzie. Zanim poszłyśmy spać, miałyśmy przesłaną pełną dokumentację i relację z tego wieczoru. Powiem tak: wszyscy bez wyjątku wpadli w naszą zasadzkę jak śliwki w kompot. Miałyśmy z Betty haka nie tylko na mojego męża i Saszę, ale także na połowę samców alfa z towarzystwa. Z takimi dowodami już nikt mnie nie zignoruje. Cóż, niszczenie ludzi może być całkiem przyjemne i uzależniające. Konstancinie, miej się na baczności – dopiero się rozkręcam!

Brzydkie fotki i filmiki z imprezy, które wrzuciłam do teczki od Louisa Vuittona i schowałam w sejfie Betty, miały być pierwszym gwoździem do trumny mojego męża. Teraz zaczęłam pracować nad drugim.

Tak jak się spodziewałam, Julio oszalał, kiedy tylko mógł wylądować twarzą w mięciutkich piersiach rudej piękności. Doskonale znałam jego gust i wiedziałam, że takiego kąska sobie nie odmówi. W końcu powszechnie wiadomo, że to żona, gdyby tylko chciała, wyszukałaby mężowi najlepsze kochanki. Nie byłam jednak pewna, jak dalej potoczy się ta znajomość – czy mój mąż potraktuje panią jak jednorazową pralinkę, czy może jak kalendarz adwentowy, z pyszną niespodzianką każdego dnia. Julio wybrał drugą opcję.

Impreza, choć go zaskoczyła – wszak nie spodziewał się takiego tłumu w swoich skromnych progach – nie wzbudziła jego podejrzeń. Bogacze już tak mają, że najlepsze rzeczy dostają za dotknięciem czarodziejskiej różdżki i nie zastanawiają się, kto tą różdżką macha. Dla nich wszystko robi się samo i już.

Następnego dnia po imprezie mój mąż odezwał się do rudowłosej, o czym rzecz jasna zostałam lojalnie poinformowana przez sutenerkę mojej dawnej koleżanki Anki. Zaprosił ją na kolację do Nobu. Zdziwił mnie wybór miejsca. To jedna z lepszych restauracji w Polsce, marka znana na całym świecie – ma dwa lokale w Londynie, mój ulubiony w Dubaju, a także ceniony przez celebrytów w Malibu. To tam kucharze serwują najlepszego na świecie homara z sosem wasabi za trzysta dwadzieścia złotych lub czarnego dorsza w sosie miso za ponad dwieście – oczywiście to ceny za sto gramów. Restauracja mieści się w luksusowym Nobu Hotel w Warszawie i wszystkie samce z Konstancina uwielbiają zapraszać tam swoich kontrahentów, kiedy chcą ubić interes, a prywatnie, kiedy chcą zrobić wrażenie na nowej narzeczonej – wszak od homara na piętereko droga krótka. Ale żeby zabierać tam jednorazową kochankę? I to teraz, kiedy mamy udawać przed wszystkimi, że do siebie wróciliśmy? Coś mi tu nie pasowało.

– Betty, mam na to pozwolić? – zapytałam przyjaciółkę podczas wspólnego joggingu wzdłuż Wisły.

– A co, położysz się krzyżem na drodze i zaczniesz krzyczeć? – uszczypliwie odbiła piłeczkę.

– No nie... Ale wiesz, że tam się nie zabiera pierwszych lepszych.

– I co z tego?

– To, że ona miała być pierwszą lepszą, a nie kolejną!

– Kolcjną po tobie? – Betty jak zawsze nie owijała w bawełnę.

– Bez przesady! Ona jest prostytutką! – Zatrzymałam się, żeby złapać oddech.

– I co z tego? – powtórzyła Betty. – Vivian w *Pretty Woman* też była, a jaka fajna z niej dziewczyna i jak dobrze skończyła. – Przewróciłam oczami, ale ona ciągnęła bezlitośnie: – Nie masz wpływu na to, z kim będzie Julio po tobie, a przecież obie wiemy, że znajdzie sobie kogoś, zanim zdążysz rozpakować pierwszą walizkę w swoim nowym życiu. Tak już jest z samcami. Nie analizuj tego. I nie porównuj się z nią – ostrzegła na koniec i pobiegła dalej.

– Nie porównuję się! – krzyknęłam, doganiając Betty. – Ale widziałaś, jakie miała wielkie kolczyki? Musiały ważyć z pół kilo! Myślisz, że były złote?

– Myślę, że z jej atutami stać ją na złoto. Ale jeśli tak bardzo cię to interesuje, przyjrzyj się jej uszom.

– Co?

– Jeżeli ma rozklapciałe, wiesz, duże dziurki, ucho zwisa prawie do brody, to znaczy, że nosi oryginalne złoto i dużo prawdziwych karatów. Jeżeli uszko będzie jak malowane, to podróby.

Najpierw spojrzałam na Betty jak na kretynkę, ale zaraz wybuchnęłam śmiechem.

– Teraz to wymyśliłaś?

– Nie, jelonku. To znany wśród pań Konstancina test na tak zwane ładne uszko. Zawsze, kiedy poznajemy nową kolejną żonkę, wśród szlachcianek pada to hasło. One same oczywiście mogłyby sobie te uszy chirurgicznie poprawić, skoro poprawiają wszystko, łącznie z waginami, ale wtedy nie zdałyby testu na ładne uszko.

Przyjrzałam się uszom przyjaciółki – faktycznie, do najpiękniejszych nie należały.

– Ale ty mniej rozkminiaj, a więcej kombinuj. Zostało ci do zrealizowania jeszcze kilka wskazówek od prawnika. – Betty znów próbowała przywołać mnie do porządku.

I znowu jej się udało.

Kolejny punkt to sojusz z pomocą domową.

Żony Konstancina, zwłaszcza te, które wyrwały milionera, mają w zwyczaju podbijać swój nowo uzyskany status społeczny traktowaniem zwykłych zjadaczy mielonego z ziemniaczkami i mizerią z góry. To one najczęściej doprowadzają swoje kucharki do płaczu, zwalniają za najmniejszy błąd sprzątaczkę, wymieniają jak rękawiczki nianie. Nikt nie jest im w stanie dogodzić, bo nikt nie jest takim profesjonalistą jak one. W ich mniemaniu oczywiście. To te kobiety są zazwyczaj niezadowolone ze standardu pokoju w pięciogwiazdkowym hotelu, choć przed poznaniem męża mieszkały w zwykłej kwaterze. To ich talerze w restauracjach krążą od stołu do kuchni, bo pani zobaczyła, że na homarze leży włos, choć oczywiście nikt inny włosa nie widzi. Taka strategia wynika z niskiego poczucia własnej wartości, które trzeba zasłonić wielkim płotem z drutem kolczastym. Te panie uważają, że jeśli będą udawać niezadowolone, inni ludzie nie pomyślą, że są w tym świecie zaledwie od pięciu minut – i że zostaną tylko przez kolejne pięć. Tak, to zdecydowanie największy koszmar żon Konstancina – że któregoś dnia ktoś odkryje, iż po prostu tu nie pasują.

Zupełnie inną strategię przyjmują samce alfa – i nie ma znaczenia, czy są bogaci z dziada pradziada, czy od przedwczoraj. Oni, poznając nową osobę, jeszcze zanim zapamiętają jej imię, zastanawiają się, do czego pan Kowalski może im się przydać. I zawsze prędzej czy później coś znajdą. To ludzie, którzy znają cały świat, a w telefonie mają miliony kontaktów – od pani Jadzi, co myje okna, do pani Wioli od lekcji pianina.

Samce alfa traktują zawsze z serdecznością wszystkich, którzy u nich pracują. Pamiętają o imieninach kucharki, zapytają o zdrowie męża panią od sprzątania, kupią prezent świąteczny dla synka szofera i podrzucą nianię do domu po tym, jak musiała zostać godzinę dłużej z juniorkiem. Szanują pracę tych ludzi, ich oddanie i dyskrecję. Cieszą się, kiedy niania, odchodząc na zasłużoną emeryturę, ze łzami w oczach wyznaje, że w tym domu zawsze czuła się jak członek rodziny.

Nic więc dziwnego, że pracownicy w sytuacjach kryzysowych, takich jak choćby rozwód państwa, staną po stronie pana. Nawet jeżeli ten faktycznie zdradzał żonę na prawo i lewo, a po alkoholu potrafił być całkiem niemiły. Ale kto by wytrzymał z taką babą! Właściwie to medal mu się należy za cierpliwość. Dokładnie takich słów użyła jedna z kucharek, którą żona Konstancina, regularnie bita przez męża, podała w sądzie jako świadka. Kucharka, owszem, słyszała i widziała, co się u państwa dzieje. Gdy pan wychodził z domu, wielokrotnie biegła nawet do pani z mrożonym groszkiem albo stekiem, który przykładała do jej poturbowanej twarzy. Ale przyłożyć pani groszek a zeznawać w sądzie na jej korzyść to dwie różne rzeczy. I bynajmniej nie ma nic do tego fakt, że pan opłacił wnusiowi kucharki studia w Barcelonie w zamian za kilka ciepłych zdań wypowiedzianych o nim przed obliczem wymiaru sprawiedliwości. Ona naprawdę szanuje swojego pracodawcę – to przecież taki dobry i empatyczny człowiek! Nie wywyższa się, nie kozakuje i zawsze poda pomocną dłoń. A to, co dzieje się w domu między nim a żoną? No nie, to przecież nie jej sprawa. Ona nikomu pod kołdrę zaglądać nie będzie.

Konstancin takich zeznań słyszał bez liku, mimo wszystko większość żon nie potrafi się przemóc i serdecznie uśmiechnąć do sprzątaczki. Dlatego tutaj pomoc prawnika potrzebna jest od zaraz. Sprytny adwokat już na drugim spotkaniu wytłumaczy pani, że sprzątaczka to osoba, która sprząta ich brudy w każdym znaczeniu tego słowa. I dokładnie w ten sposób trzeba spojrzeć na jej pracę. Taka pani widzi i znajduje więcej niż żona. Dziwne karteczki wyciągane z kieszeni, paragon na osiem tysięcy za drinki w klubie go-go, numery telefonów pisane na serwetkach i przypieczętowane czerwonym buziakiem, a nawet zużyte kondomy znalezione pod łóżkiem, kiedy żona jest z przyjaciółkami w SPA. To ona jest pierwszym świadkiem w miejscu zbrodni przed usunięciem z niego dowodów – rudych długich włosów z poduszki, szminki z kołnierzyka, zapachu damskich perfum z marynarki. Oddana pomoc domowa może być lepszym okiem prezesa niż monitoring w sypialni, ponieważ nie tylko widzi i słyszy, ale także zna kontekst. I o jej względy od samego początku powinna zabiegać rozsądna pani domu.

Tak właśnie zrobiła jedna z bardzo sympatycznych nowych mieszkanek Konstancina. Pani była drugą żoną zamożnego dewelopera i weszła na tak zwane wszystko gotowe. Willa w Konstancinie była odrestaurowana i umeblowana przez poprzednią żonę, każdy pokój, włącznie z sypialnią, dokładnie zaprojektowany według jej gustu. Tak samo ogród i dwa zagraniczne domy. Pani nawet na odchodne zostawiła nowej żonie swój samochód – tak, to był krwawy rozwód z gatunku tych, które żona przegrywa z kretesem i opuszcza Konstancin uberem pod osłoną nocy. Jednak wszystkie te dramatyczne sceny działy się długo przed tym, zanim pan poznał naszą bohaterkę. I tak naprawdę nigdy nie zdradził jej prawdziwego powodu rozpadu swojego pierwszego małżeństwa. Dlatego młoda niewinna dziewczyna, przekraczając próg Konstancina, nie miała zielonego pojęcia, w jaki koszmar już wkrótce zamieni się jej bajka. Dopiero kiedy rozpakowała swoją ostatnią walizkę, mąż zaczął się zmieniać z dobrego policjanta w złego. Najpierw, już w pierwszym tygodniu małżeństwa, pani zaznała przemocy psychicznej. Pan nie uważał za konieczne zmieniać czegokolwiek w ich luksusowej willi tylko dlatego, że ma nową żonę. Niczego. A to znaczy, że zażyczył sobie, by ta spała w pościeli starej żony, nosiła jej ubrania, buty, a nawet piżamy. Także kosmetyki, które zostawiła pierwsza, w połowie zużyte, druga miała dokończyć, bo przecież nikt nie będzie wyrzucał w błoto tyle pieniędzy. Prośby i delikatne protesty zostały przypieczętowane pierwszym podbitym okiem.

Z każdym tygodniem było coraz gorzej, bo pan życzył sobie, żeby pani się ubierała, malowała i czesała tak jak jego eks. Zresztą ciągle porównywał nową, młodszą wersję z oryginałem, do którego podróbka nie mogła doskoczyć. Żona oczywiście prawdziwe oblicze męża zaczęła poznawać dopiero po ślubie, dopiero w Konstancinie i dopiero kiedy urodziła pierwsze dziecko. I to oblicze, delikatnie mówiąc, jej się nie podobało. Ale że pani była z gatunku tych dobrych i potulnych, wierzyła, że niegodne dżentelmena zachowanie to tylko chwilowa niedyspozycja, robiła więc wszystko, żeby męża zadowolić i uszczęśliwić. Do tego była uprzejma dla całej ekipy pracującej w ich domu – od pani sprzątającej, na szoferze męża kończąc (oczywiście wszyscy wybrani przez pierwszą żonę). Nowa pani szybko zapamiętała ich imiona, pytała o zdrowie, zagadywała o dzieci, mężów. Całą swoją garderobę z poprzedniego życia, która nie pasowała do konstancińskich standardów – a także część rzeczy z tego życia, ale z poprzedniego sezonu – oddała kucharce, w dodatku zrobiła to w tak miły sposób, że kucharka poczuła się, jakby to ona wyświadczała przysługę pani, a nie odwrotnie.

    Nowa żona, kiedy czuła się samotna w wielkiej willi, lubiła napić się kawy w tak zwanej brudnej kuchni, w której odpoczywali i jadali posiłki pracownicy. Za pierwszym razem wszystkich to zdziwiło i zawstydziło, zwłaszcza nocnego kierowcę męża. Tak, bogacze mają dwóch kierowców – dziennego, który zawozi pana do pracy, dzieci do szkoły, panią na zakupy, i nocnego, który jest zwykle tylko do dyspozycji pana i wozi go po imprezach czy klubach. Ten konkretny, co najważniejsze, krył jeszcze zdrady swojego pracodawcy przed jego żoną. Ta natomiast tak się zżyła z podwładnymi podczas wspólnych kaw i pogaduszek, że na Gwiazdkę dostała od nich duży kubek z napisem „Ale kto tu rządzi?".

Z każdym rokiem sympatia pracowników do pani rosła, do tego stopnia, że pomagali jej unikać wciąż nowych ciosów ze strony męża. Nocny szofer znał kalendarz swojego pracodawcy przynajmniej na dwa dni do przodu, wiedział, po wizycie w których miejscach pan robi się agresywny, a wtedy uprzedzał panią, że szykują się kłopoty. Dla żony był to znak, że tego wieczoru lepiej ściągnąć przyjaciółkę na damskie pogaduchy albo mamę do opieki nad dzieckiem, albo po prostu uciec do hotelu. Czasami, kiedy pijany i przećpany mąż wsiadał nad ranem do auta i natychmiast w nim zasypiał, kierowca tak długo krążył z nim po mieście, aż pani zdążyła wyjść z domu. Nie wspominając o licznych zdjęciach, które dyskretnie pstrykał swojemu pracodawcy w dwuznacznych sytuacjach, również tych z innymi kobietami. Po latach teczka z taką dokumentacją osiągnęła imponujące rozmiary. Pomoc domowa z kolei zbierała dla pani – choć ta wcale o to nie prosiła – wszystkie tajemnicze karteczki i paragony, a kucharka nieraz przyprawiała kolację pana rozproszkowanymi tabletkami nasennymi, kiedy widziała, w jakim stanie wrócił do domu. Co jednak najważniejsze – kiedy młoda żona w końcu nie wytrzymała terroru psychicznego i fizycznego i zdecydowała się złożyć papiery rozwodowe, wszyscy oni jak jeden mąż zeznali w sądzie na jej korzyść. A kolekcja brudów, jaką udało im się w tym czasie zebrać, zaskoczyła nawet prawników obu stron.

Dlatego, żono Konstancina, zaprzyjaźnij się z osobami z drugiego szeregu, a utrzymasz koronę przez kilka kolejnych sezonów.

Co jeszcze szepnie do uszka pani w potrzebie sprytny i dobrze opłacany prawnik? Zatrudnij detektywa lub hakera, *darling*. Czego oczy nie widzą, tego w teczce nie ma. A powinno być. Wszystko. Zwłaszcza kiedy jesteś żoną Konstancina i walczysz z milionerem o godny kawałek chleba po rozwodzie. Tutaj nie ma skrupułów – ile włożysz do teczki, tyle wyjmiesz z sakwy dla siebie później. Dlatego nie oszczędzaj. Na twojej liście podstawowych wydatków powinien być detektyw, który zwłaszcza w weekendy i na służbowych wyjazdach, kiedy ogary pójdą w las, nie spuści oka z twojego hultaja. Taki detektyw jest w stanie zebrać dokumentację, która potrafi zniszczyć największe fortuny. A oprócz tego naszprycuje samochód twojego męża, jego torbę, gabinet, a nawet pokrowiec na kije do golfa profesjonalnym, prawie niewidocznym sprzętem do podsłuchu, przy którym Pegasus to nie burza z piorunami, tylko niewinny kapuśniaczek.

Podsłuch w samochodzie męża to zawsze kopalnia wiedzy o jego interesach – tych legalnych i tych trochę mniej – zwłaszcza teraz, kiedy prawie każdy rozmawia przez zestaw głośnomówiący. Pamiętacie, co przed laty zrobiła Doda, żeby przyłapać Majdana na cudzołóstwie? No właśnie. Drogie panie, bądźcie jak Doda!

Detektyw przydaje się też na innym polu. Bo prawda jest taka, że jeżeli dobierzesz się do telefonu męża, w którym ma SMS-y, Messengera, Signala, WhatsAppa i skrzynkę mailową, a w przypadku iPhone'a także cały pęk kluczy, czyli hasła do wszystkiego, jesteś w domu. Ale jak to zrobić? Czasy, kiedy wystarczyło przyłożyć palec pijanego męża do czytnika w telefonie, dawno się skończyły. Tak samo jak nakierowywanie komórki na zdjęcie jego twarzy. Wszystkie te sztuczki zostały dawno rozgryzione i pewnie nie raz użyte przez małżonków na różnych etapach związku, i to raczej nie w obronie własnej. Dlatego producenci smartfonów dwoją się i troją, żeby wymyślać coraz lepsze zabezpieczenia. I faktycznie są one dziś tak mocne, że nawet zdolny haker nie jest w stanie ich złamać. Pamiętacie aferę sprzed kilku lat, kiedy Amerykanie złapali pewnego terrorystę i próbowali dostać się do jego iPhone'a? Wielu hakerów próbowało złamać PIN do jego telefonu i żadnemu się nie udało. Przy którejś nietrafionej próbie telefon się zablokował i automatycznie wyczyścił całą swoją zawartość.

Dlatego najlepszą metodą jest podejrzenie PIN-u do telefonu. Najlepszą, ale nie najłatwiejszą. Czasami małżonkowie, zwłaszcza ci zwaśnieni albo ci, którzy mają swoje za uszami, strzegą PIN-u jak konstytucji albo – w przypadku iPhone'a – używają Apple ID. Wtedy nic nie pomoże, tylko cierpliwość, obserwacja, ewentualnie zamontowanie kamery przy wezgłowiu łóżka po stronie męża albo w samochodzie. Jeżeli poznasz hasło, możesz wszystko. Ustawić lokalizator, sparować iPhone'a z iPadem, macBookiem i airTagiem (małe urządzenie śledzące, które możesz wsunąć mężowi do torby). Możesz błyskawicznie przerzucić SMS-y albo czaty z Messengera na iPada męża, na którym wasz synek ogląda w samochodzie bajki, więc zna hasło. Możesz wszystko! Ale czasami, żeby zdobyć to hasło, musisz wynająć wspomnianego detektywa, który tak będzie krążył wokół twojego męża, że w końcu na stacji benzynowej, w kawiarni czy wieczorem w klubie podejrzy hasło otwierające wrota do królestwa.

Jedna z księżniczek Konstancina, która bardzo chciała dostać się do korespondencji męża z jego kochanką, ale na drodze stał jej PIN, wpadła na całkiem sprytny pomysł. W salonie na ścianie, o którą opierała się sofa, powiesiła lustro. W ten sposób, kiedy ona siadała po drugiej stronie na fotelu, miała szansę podejrzeć, jak mąż wstukuje w telefonie kod. Oczywiście nie stało się to natychmiast, ale któregoś razu, kiedy znudzona piłowała sobie paznokcie, los się do niej uśmiechnął. Jeszcze tego samego dnia skopiowany czat z panią z Instagrama, której zdjęcia w skąpej bieliźnie mają setki lajków, trafił do prawnika żony.

Żonom Konstancina, ale nie tylko Konstancina, zabawa w hakerki udaje się zwykle z dwóch powodów. Po pierwsze, ich mężowie wpadają z własnej głupoty, bo kłamstwo ma krótkie nogi, nawet jeżeli te jego kochanki sięgają jej po samą szyję. Po drugie, bogacze najczęściej nie doceniają swojego przeciwnika, zwłaszcza jeżeli jest nim kobieta, a już najmniej, kiedy tą kobietą jest ich żona.

No to jeszcze raz, podsumujmy rozwód w pigułce. Po pierwsze, zgodnie z tym, co powie ci dobra terapeutka, wynajmij mieszkanie i zapełnij w nim po brzegi lodówkę. Upadek bez poduszki asekuracyjnej może się skończyć złamaniem karku, a ty przecież przez tyle lat toksycznego związku walczyłaś, żeby mąż nie złamał ci kręgosłupa moralnego. Nie daj się pokonać pod koniec biegu. Po drugie, dobry mecenas poradzi ci, żebyś wszystkie prezenty, zegarki, biżuterię (oczywiście z certyfikatami i pudełkami) schowała głęboko w swoim sejfie i od pierwszego dnia życia z królem przelewała na konto matki lub siostry konkretną kwotę na tak zwaną małżeńską emeryturę. Nie zapominaj o praniu. A raczej zbieraniu brudów. Im więcej uzbierasz, tym większe szanse, że opuścisz Konstancin w glorii i chwale. Giełda szaleje. Publika bije brawo. A twój skarbiec zaczyna pęcznieć niczym kasza kuskus we wrzątku. Oczywiście nie robisz wszystkiego sama. Inwestujesz w detektywa. Zbierze on dobry materiał, założy podsłuchy, wejdzie nawet na drzewo lub zajrzy do śmietnika, jeżeli sprawa będzie wagi państwowej. A będzie, uwierz mi. W końcu chodzi o samca alfa i wściekłą żonę Konstancina. Kolejny punkt to dobry zespół strategiczny lub dobry haker, który prześwietli wszystkie spółki, partnerów biznesowych, zlokalizuje zagraniczne konta bankowe, a za dodatkową opłatą znajdzie słabe ogniwo (na przykład pracownika banku) i dzięki niemu pokaże żonie każdą złotówkę wydaną na zabawy z kochankami w trakcie „służbowych" wyjazdów męża. Następnie sztama z ludźmi drugiego szeregu. Kucharka, niania, szofer, pani sprzątająca... dzięki ich lojalności i pomocy będziesz mogła zabrać mężowi ostatnią koszulę. Jeżeli oczywiście będziesz chciała. A jak nie, zawsze możesz ją wziąć nie dla siebie, kto wie, może twój przyszły kochanek będzie nosił taki sam rozmiar?

I ostatnia wskazówka – wszystkie te rady są ci potrzebne, żeby twoja noga stanęła w sądzie na sprawie rozwodowej tylko raz – w dniu podpisania ugody. I to takiej, która zapewni tobie i twojemu stadku życie, na jakie zasługujecie.

PS Nie ma za co. ;)

A teraz... poloneza czas zacząć!

W końcu nadszedł ten dzień. Dzień balu, który miał przypieczętować nasz powrót do siebie. Balu, o którym miał mówić cały Konstancin, z którego mieliśmy być dumni i który nawet mojego teścia miał wprawić w osłupienie. Moja krwawica i moja spuścizna.

Ponieważ nasze przyjęcie zaczynało się o dwudziestej, oczywiście obowiązywał dress code „black tie". W końcu nic tak nie ekscytuje konstancinian jak wrażenie, że mają cokolwiek wspólnego z dziewiętnastowieczną angielską arystokracją, nawet jeżeli tym czymś jest jedynie kolor sukienki. To właśnie błękitna krew określiła zasady: na przyjęciach (nie mylić z balami!) od godziny dziewiętnastej panowie wkładają czarne garnitury i czarne muszki, a kobiety długie wąskie suknie. Ja dodatkowo na zaproszeniach zaznaczyłam, że obowiązuje czerń. Zwyczajnie taki miałam kaprys. Niech kolor ubrań odzwierciedla kolor ich charakterów. Miał to być też delikatny pstryczek w noski konstancińskich żon, które będą musiały albo dostosować się do woli gospodarzy przyjęcia, albo... nie pojawić się na nim wcale. Oczywiście przeklinając mnie we wszystkich językach świata, od tygodni biegały po projektantach, którzy mieli jeszcze jakieś wolne terminy, by uszyć suknię idealną. Naturalnie jedna chciała przyćmić drugą, a wszystkie mnie, przez co kłóciły się, licytowały, przekupywały, a nawet stosowały wszelkiej maści intrygi. Czasami dochodziło do sytuacji na granicy dobrych manier, kiedy pani kazała pomocy domowej zadzwonić do konkurentki i podszywając się pod asystentkę projektanta, odwołać wizytę. Jeszcze trudniej było ogarnąć najlepszego fryzjera czy makijażystkę – takich jest w stolicy zaledwie garstka. Kolorowe Kredki czy Magdalena Pieczonka dadzą radę namalować idealną twarz tylko trzem żonom, a przecież na takie przyjęcia zaproszonych jest ich trzydzieści, czasem czterdzieści. Łatwo sobie wyobrazić ten wyścig wychudzonych chartów.

Ja tymczasem miałam zorganizować przyjęcie sezonu. I to w naszej rezydencji, co miało podkreślić wagę mojego pojednania z mężem. Muszę przyznać, że dla mnie była to czysta przyjemność. Kocham jeść i kocham gotować, więc spotkania z szefami kuchni czy kelnerami sprawiały mi dużo przyjemności. Wręcz mnie relaksowały. Zwłaszcza kiedy w mojej głowie wyklarował się pomysł imprezy i jej cel. Julio dał mi wolną rękę – ani razu nie zapytał, czy potrzebuję pomocy, nie był nawet zainteresowany motywem przewodnim balu. Akurat tym razem było mi to bardzo na rękę. Nie musiałam się z niczego spowiadać ani niczego raportować. Tylko Betty zdradziłam swój plan.

– Włożę czarną suknię z wielkim kołnierzem i czarną woalkę, spod której będę miała idealny widok na miny tych nadętych krów – mówiła podekscytowana.

Ekipa, którą zatrudniłam, zorganizowała odpowiednią liczbę smukłych standów, na które będzie można odstawić kieliszek szampana albo dobić przy nich targu na kolejny biznes za kilkadziesiąt milionów. Szef kuchni wybrał talerze, kieliszki i alkohole pasujące do jego autorskich dań. Firma od słodkiego szykowała najbardziej wymyślne delicje. Florystki układały bukiety – oczywiście kwiaty musiały pasować do pory roku, charakteru imprezy, dań – wytrawnych i słodkich.

Mój kolejny kaprys tego wieczoru to kelner czekający w saloniku między marmurową łazienką i garderobą, częstujący gości gryczanymi blinami z kawiorem i najdroższym szampanem, jakiego znalazłam w piwniczce Julia. A znalazłam tam kilka kartonów tego trunku i bez pytania wzięłam wszystkie. Mój mąż nie będzie zadowolony, bo trzymał je na specjalną okazję, ale wszystkim nie dogodzisz, a jemu tego wieczoru chciałam dogodzić najmniej.

Żelazną zasadą na takich imprezach jest osobiste witanie gości przez gospodarzy w akompaniamencie fortepianu. Tym razem było inaczej. Goście witani byli kieliszkiem szampana, pianisty nie było, za to saksofon i DJ działali pełną parą. Para sączyła się też z dyskretnie ukrytych generatorów, które idealnie pasowały do czarnych kompozycji kwiatowych i przyciemnionego oświetlenia. Miało się wrażenie, że mrok wychodzi ze ścian. Jedynym jasnym punktem był bufet. Ewidentnie inspirowany wiśniami, które na tę porę roku musiały zostać sprowadzone z Brazylii. Słodki bufet wieńczył ogromny tort w kształcie wiśni.

Zdezorientowani goście starali się ukryć zdziwienie – wszak spodziewali się białych kwiatów, blasku, blichtru i jadalnego złota. Kilku paniom pierwszy raz od dawna udało się podnieść brew i zmarszczyć zbotoksowane na beton czoło. Tym bardziej strachliwym pewnie strzelały nawet złote nici podtrzymujące konstrukcję ich ślicznych buziek. Ja włosy własnoręcznie zakręciłam na wałki, a makijaż zrobiłam sobie sama, i to taki, że Magda Pieczonka mogłaby mnie poprosić o szkolenie. Sukienkę wyciągnęłam z szafy, a właściwie z garderoby wielkości mieszkania.

Wcześniej, leżąc jeszcze w wannie, żeby rozluźnić mięśnie i uspokoić dudniące z wrażenia serce, cieszyłam się, że jestem inna niż ci wszyscy "serdeczni przyjaciele", którzy zaraz mieli się zjawić. Od początku do nich nie pasowałam, a oni nie pasowali do mnie. Teraz żałowałam tylko jednego – że przez tyle lat tego nie rozumiałam, starałam się do nich dopasować, przypodobać się im, być jedną z nich. A to kosztowało mnie mnóstwo nerwów, łez, zmarszczek i parę załamań nerwowych. Ale w końcu zrozumiałam, że nie chcę biec w tym stadzie. To ja jestem lepsza, ja jestem tą żabą, która dobiega do mety.

W końcu wybiła godzina zero. Gdy Julio krążył między gośćmi, poprosiłam jednego z kelnerów, żeby na srebrnej tacy podał mojemu mężowi białą kopertę. Gdy w olbrzymiej, zachwycającej krwistoczerwonej sukni stanęłam na schodach, DJ wyłączył muzykę. Od razu podszedł do mnie inny kelner i wręczył mi lampkę szampana. Wtedy zaczęłam przemówienie. Nie czekałam na Julia – wystarczyło mi, że widzę jego bladą jak ściana twarz, kiedy otworzył kopertę i wyjął z niej trzy zdjęcia. Na jednym z nich wciągał długą jak dżdżownica kreskę, na drugim pozwolił się związać i biczować rudej piękności, na trzecim z uśmiechem na twarzy podawał rękę największemu wrogowi swojego ojca.

Mam cię, kotku. Teraz jesteś cały mój, pomyślałam i wzniosłam toast za najlepszy rozwodowy bal, jaki widział Konstancin.

Mój bal.

A teraz kolej na matkę...

SOFTCOPS

Caryl Churchill, author of *Top Girls* and *Fen*, is 'a dramatist who must surely be rated among the half-dozen best now writing . . . a playwright of genuine audacity and assurance, able to use her considerable wit and intelligence in ways at once unusual, resonant and dramatically riveting' (*New Statesman*). In this new play, using the memoirs of two notorious nineteenth-century French criminals, she explores the theme of law and order through incidents in their lives, and by examining the way that social institutions lead us to conform through discipline and punishment to accepted patterns of behaviour.

Softcops is published to coincide with its premiere by the Royal Shakespeare Company in the Barbican Pit early in 1984.

by the same author

FEN
TOP GIRLS
VINEGAR TOM (in *Plays by Women: Vol 1*)

in the same series

SAMBA
by Michael Abbensetts
EAST-WEST & IS UNCLE JACK A CONFORMIST?
by Andrey Amalrik
BURIED INSIDE EXTRA
by Thomas Babe
DEREK & CHORUSES FROM AFTER THE ASSASSINATIONS
by Edward Bond
SORE THROATS & SONNETS OF LOVE AND OPPOSITION
THE GENIUS
by Howard Brenton
THIRTEENTH NIGHT & A SHORT SHARP SHOCK!
by Howard Brenton (*A Short Sharp Shock!* written with Tony Howard)
MOLIÈRE
by Mikhail Bulgakov (in a version by Dusty Hughes)
MONEY
by Edward Bulwer-Lytton
THE SEAGULL
by Anton Chekov (in a version by Thomas Kilroy)
SHONA, LUNCH GIRLS, THE SHELTER
by Tony Craze, Ron Hart, Johnnie Quarrell
POOR TOM & TINA
by David Cregan
WRECKERS
TEENDREAMS
MAYDAYS
by David Edgar
MASTERPIECES
by Sarah Daniels
THE BODY
by Nick Darke
OUR FRIENDS IN THE NORTH
by Peter Flannery
OTHER WORLDS
by Robert Holman
PEER GYNT
by Henrik Ibsen (translated by David Rudkin)
INSIGNIFICANCE
by Terry Johnson
FROZEN ASSETS
SUS
BASTARD ANGEL
by Barrie Keeffe
NOT QUITE JERUSALEM
by Paul Kember
BORDERLINE
by Hanif Kureishi
SERGEANT OLA AND HIS FOLLOWERS
by David Lan
TOUCHED
TIBETAN INROADS

THE RAGGED TROUSERED PHILANTHROPISTS
by Stephen Lowe
LAVENDER BLUE & NOLI ME TANGERE
by John Mackendrick
AMERICAN BUFFALO, SEXUAL PERVERSITY IN CHICAGO & DUCK VARIATIONS
By David Mamet
THICK AS THIEVES
WELCOME HOME, RASPBERRY, THE LUCKY ONES
by Tony Marchant
A NEW WAY TO PAY OLD DEBTS
by Philip Massinger
NICE, RUM AN' COCA COLA & WELCOME HOME JACKO
PLAY MAS, INDEPENDENCE & MEETINGS
by Mustapha Matura
LUNATIC AND LOVER
by Michael Meyer
OPERATION BAD APPLE
by G.F.Newman
SALONIKA
by Louise Page
STRAWBERRY FIELDS
SHOUT ACROSS THE RIVER
AMERICAN DAYS
THE SUMMER PARTY
FAVOURITE NIGHTS & CAUGHT ON A TRAIN
RUNNERS & SOFT TARGETS
by Stephen Poliakoff
BRIMSTONE AND TREACLE
by Dennis Potter
THE TIME OF YOUR LIFE
by William Saroyan
MY DINNER WITH ANDRÉ & MARIE AND BRUCE
by Wallace Shawn (*My Dinner with André* written with André Gregory)
LIVE THEATRE: Four Plays for Young People
by C.P.Taylor
BAZAAR AND RUMMAGE, GROPING FOR WORDS & WOMBERANG
by Sue Townsend
CLAY
by Peter Whelan
THE NINE NIGHT & RITUAL BY WATER
by Edgar White
RENTS
LENT
by David Wilcox
SUGAR AND SPICE & TRIAL RUN
W.C.P.C.
by Nigel Williams
THE GRASS WIDOW
by Snoo Wilson
HAS 'WASHINGTON' LEGS? & DINGO
by Charles Wood
CUSTOM OF THE COUNTRY
by Nicholas Wright

SOFTCOPS

CARYL CHURCHILL

A Methuen New Theatrescript
Methuen · London and New York

In this play Caryl Churchill has reflected some ideas from *Surveiller et Punir* by Michel Foucault, published by Gallimard, Paris, for which she is most grateful.

A METHUEN PAPERBACK

First published as a Methuen paperback original in 1984 by Methuen London Ltd
11 New Fetter Lane, London EC4P 4EE and Methuen Inc, 733 Third Avenue, New York, NY 10017.
Copyright © 1984 by Caryl Churchill
Printed by Expression Printers Ltd, 39 North Road, London N7

British Library Cataloguing in Publication Data
Churchill, Caryl
   Softcops.—(A Methuen new theatrescript)
   I. Title
   822'.914   PR6053.H786
  ISBN 0-413-54910-0

CAUTION
This play is fully protected by copyright. All rights are reserved and all enquiries concerning the rights for professional or amateur stage productions should be made to Margaret Ramsay Ltd, 14a Goodwin's Court, St. Martin's Lane, London WC2N 4LL.

This paperback edition is sold subject to the condition that it shall not, by way of trade or otherwise, be lent, resold, hired out, or otherwise circulated without the publisher's prior consent in any form of binding or cover other than that in which it is published, and without a similar condition including this condition being imposed on the subsequent purchaser.

Softcops was first presented by the Royal Shakespeare Company at the Barbican Pit on 2nd January 1984, with the following cast:

DUVAL	Christopher Bowen
MINISTER	John Carlisle
VIDOCQ	Geoffrey Freshwater
ELOQUENT RICH MAN	Hepburn Graham
LAFAYETTE	Tom Mannion
MAGISTRATE / BENTHAM / CONSPIRATOR	Pip Miller
SCHOOLBOY / OLDER BROTHER / WARDER	David Shaw-Parker
BOY	Brian Parr
HEADMASTER / HOLIDAYMAKER	Bill Stewart
LACENAIRE / CONSPIRATOR	Malcolm Storry
PIERRE	Ian Talbot
MAN ON RACK / WARDER	Phillip Walsh

Other parts: WORKERS, SCHOOL CHILDREN, RICH MEN, CHAIN GANG etc., played by members of the cast.

Directed by Howard Davies
Designed by Bob Crowley

The play takes place in Paris in the nineteenth century, mainly in the 1830s.

This is the script of the play as it was before the end of rehearsals for the first production.

Author's Note

Vidocq and Lacenaire are the original cop and robber, Vidocq, the criminal who became chief of police using the same skills of disguise and cunning, and Lacenaire, the glamorous and ineffectual murderer and petty thief, who was briefly a romantic hero. They both wrote their memoirs, and from the London Library you can take home the original edition of Vidocq's, each volume signed firmly with his name.

I read them after reading Michel Foucault's *Discipline and Punish*, which fascinatingly analyses the change in methods of control and punishment from tearing the victim apart with horses to simply watching him. Jeremy Bentham comes in here, the inventor of the panopticon, the tower from which one person can watch and control many, an idea that goes right through the way society is organised.

I had had an idea for a play called *Softcops*, which was to be about the soft methods of control, schools, hospitals, social workers, when I came across the Foucault book, and was so thrilled with it that I set the play not here and now but in nineteenth century France, where Vidocq puts on half a dozen disguises and Lacenaire is feted by the rich in his cell, while the king's assassin is quietly disposed of. There is a constant attempt by governments to depoliticise illegal acts, to make criminals a separate class from the rest of society so that subversion will not be general, and part of this process is the invention of the detective and the criminal, the cop and the robber.

        Caryl Churchill (First published in *RSC News*, Winter 1983)

A high scaffold is being erected. PIERRE *is anxiously supervising and helping drape it in black cloth and put up posters and placards. A crocodile of young* BOYS *in uniform crosses the stage with their* HEADMASTER, *circles and stops in front of the scaffold.*

PIERRE: Ah, you've brought them for me. I need children with their soft minds to take the impression. More folds this side. Yes, the minister will see them learning. More, more, it hardly reaches the ground. Not long now. It's worth waiting for.

HEADMASTER: They can stand as long as necessary. They have stood three hours.

PIERRE: I can't hold the nail steady. Thank you. My hands are shaking. I want it to be perfect.

HEADMASTER: While you're waiting, examine your consciences.

PEOPLE *go by, stop, go on, come back, gather some distance from the scaffold.* The CHILDREN *stand motionless.*

PIERRE: I hope the rain keeps off. The dye isn't fast.

HEADMASTER: The design is excellent.

PIERRE: There is a balance if I can get it. Terror, but also information. Information, but also terror. But I dream of something covering several acres and completely transforming – as you know. I won't bore you. But if the minister is impressed today I hope for a park.

HEADMASTER: I'm sure it strikes terror.

CHILDREN: Yes, sir.

HEADMASTER: And makes us love our duty.

CHILDREN: Yes, sir.

HEADMASTER: It's a better lesson than talk. Saves the throat.

PIERRE: Help them with the balance. The event will be horrible but the moral is there. Learn while you're young to worship Reason. Reason is my goddess. Fall at her feet. Unfortunately the minister has happy memories of sheer horror. That sign is crooked. Would it be better lower down? Can the children read it?

The HEADMASTER *indicates a* CHILD, *who reads.*

CHILD: 'Jean Lafayette murdered his employer by strangling and will himself be strangled by hanging by the neck.'

PIERRE: Good, leave it there. Where are the red ribbons? Look, children, red is a symbol of blood and passion, the blood shed by passion and the blood shed by Reason in justice and grief. Grief is symbolised of course by the black.

The WORKMEN *are putting red ribbons on the scaffold.*

Or does it look more striking without the ribbons? Should grief be the dominant theme? Blood can be represented by itself. The procession comes down the hill so the crowd can watch its approach. Doleful music specially composed. I've written a speech for the magistrate and one for each of the condemned men. There are three, I hope you can stay. No, take the ribbons off.

The WORKMEN *start taking the ribbons off.*

When the minister sees the children it will help him grasp the educational –

Music: wind and drums.

They're coming. They're early. Get the ribbons off. Stand back.

The WORKMEN *go. One ribbon is left on.* PIERRE *is watching the procession approach.*

See, see the effect. Where's the minister? We can't start. It's fine in the sunlight, the pigeons fly up. The minister is missing the procession.

The procession comes in: the MAGISTRATE *in black; the* EXECUTIONER *in red; the* MUSICIANS *and* GUARDS *in black and red; black-draped cart; the* PRISONER *in the cart in black except for his right hand in a red glove which he holds up. A placard round his neck:* Jacques Duval, thief.

PIERRE (*to the* MAGISTRATE): Welcome, welcome, sir. It's very good of you to take part in this experimental – Excuse me, there's something wrong here. We have the wrong placard I think.

8 SOFTCOPS

(*He takes down the notice about Lafayette and hunts for one about Duval.*) Thief, thief, leg of lamb. (*To* MAGISTRATE:) I hope the walk hasn't tired you, sir. Slight problem, nothing to worry about, I'm afraid the minister has been detained. It's not quite time, I think. I wonder if you could just go round again. You could wait here, sir, if you'd rather and the rest of the procession could just go round the square. No need to go back up the hill. That's right, people will move aside, music again too, it's very moving, well done, music, music.

The procession slowly circles. PIERRE *puts up the correct notice.*

HEADMASTER: That gentleman is the magistrate. See his wise face, kind and stern. Here comes the cart, see the villain. You can see the weakness and evil. His right hand which did the evil deed is clad in red. One of these men is the executioner – ah, that one in red. He carries an instrument of justice. What does red symbolise?

CHILD: Blood, sir.

HEADMASTER: And?

CHILD: Passion, sir.

PIERRE: Get that ribbon off, off.

PIERRE *realises the* WORKMEN *have gone and gets the ribbon off himself.*

HEADMASTER: What will he do with the wicked man?

CHILD: Hang him, sir.

HEADMASTER: Wrong.

CHILD: Hurt him, sir.

HEADMASTER: Hurt him, yes, can somebody be more precise?

CHILD: Cut his hand off, sir.

HEADMASTER: Yes, you can see it written on the notice. He will cut off the hand that stole the leg of lamb.

CHILD: Please, sir, shouldn't they cut his leg off, sir?

Meanwhile the MINISTER *has arrived and is greeted by* PIERRE.

PIERRE: They came down the hill, a moment of great solemnity, the power of the law struck home to the heart and mind, the pigeons flew up. You see the notices, sir, explaining, so everyone understands what is happening and isn't carried away by emotion.

MINISTER: They can't read.

PIERRE: The magistrate also makes a speech, sir. And each condemned man makes a speech. Some of them can read, sir. A few of them. Maybe not.

HEADMASTER: Your country loves its children like a father. And when the children are bad the country grieves like a father. And punishes like a father.

The procession stops by the scaffold.

MAGISTRATE: There's a word here not very clearly written.

PIERRE: I can't read my own writing. Whatever you think.

MAGISTRATE: Execution?

PIERRE: Very likely. (*To* MINISTER:) A headmaster has brought his pupils. The use of punishment as education –

MAGISTRATE: 'This is a day of mourning.'

PIERRE: Ah, ah, excuse me, execration.

MAGISTRATE: 'Day of mourning.'

PIERRE: No, the word, here, execration.

MAGISTRATE: Very good, I would never have thought of that. Execration. Let me make a note. 'This is a day of mourning. We are, you see, in black. We mourn that one of our citizens has broken the law. We mourn that we must separate ourselves from this citizen and inflict this penalty upon him. Black symbolises our grief and our – ha – execration of his crime. This man has with his right hand – '

PIERRE: Hold it up, hold it up.

MAGISTRATE: – 'committed an act against his fellow men. And it is with grief that his right hand will be taken from him. We do not rejoice in vengeance. There will be no singing and dancing, no cursing and fighting. It is a sad necessity for him and for us. Our social order –'

Meanwhile one of the CHILDREN *fidgets, is taken out of line by the* HEADMASTER, *caned on the hand and returned to his place. The rest of the* CHILDREN *stand motionless.*

MINISTER: Can't we get on with the punishment?

PIERRE: This is the general introduction to the whole —

MINISTER: Never bore a mob.

PIERRE: We're about half-way.

MINISTER: Where's the executioner?

PIERRE (*to* MAGISTRATE): Thank you, we'll stop there, thank you.

PIERRE claps; HEADMASTER *joins in;* CHILDREN *join in. By then* PIERRE *has stopped.*

Now the condemned man will speak. Listen and learn. Music.

Music. The prisoner, DUVAL, *climbs on to the scaffold. Cheers and jeers from the* CROWD.

Wait till the music stops. Now.

DUVAL: I, Jacques Duval.

PIERRE: Go on.

DUVAL: I, Jacques Duval.

PIERRE: Don't cry, speak up. (*To the* MINISTER:) Tears of repentance.

DUVAL: I, Jacques Duval. Under sentence of having my right hand cut off —

PIERRE: Hold it up. Good.

DUVAL: Call out. Call out . . .

PIERRE: Theft, crime of theft, cut off for the crime —

DUVAL: Theft, crime of theft, cut off. Fellow citizens. Call out to my fellow citizens.

PIERRE: Learn —

DUVAL: Learn by my terrible example. Never steal even if you're hungry because . . .

PIERRE: Because it is against the laws —

DUVAL: Laws of our beloved country. And your hand will be cut off.

PIERRE: Up, up, that's right.

DUVAL: I'm very sorry what I done.

PIERRE: Good.

DUVAL: And submit, is it? Submit the punishment the judge give me. Gladly. Gladly submit. Judge give me. And . . .

PIERRE: I am happy —

DUVAL: — I am happy —

PIERRE: — to be an example —

DUVAL: — example

PIERRE: — to you all.

DUVAL: — all.

PIERRE: Watch —

DUVAL: Watch what is done to me today and remember it tomorrow.

PIERRE: If you are sorry for me —

DUVAL: Yes, that's it.

PIERRE: Keep the law. Go on.

DUVAL: Go on.

PIERRE: No, keep the law.

DUVAL: Yes.

PIERRE: And then I'll know my pain did some good.

DUVAL: I don't know what comes after.

PIERRE: That's all.

MINISTER: Where's the executioner?

HEADMASTER: Are all your eyes open?

MAN IN CROWD: Jacques! I'm here. Jacques!

DUVAL: Don't look!

DUVAL's *hand is cut off and displayed to the* CROWD *by the* EXECUTIONER. *He faints and is put in the cart.* PIERRE *indicates to the* MUSICIANS *that they should play. The* GUARDS *take the cart out,* DUVAL's FRIEND *running after. The* MUSICIANS *play. One of the children,* LUC, *turns aside to be sick. The others stand motionless.*

MINISTER: It's over very quickly. I don't count the talking. When I was a boy one punishment would last from noon till sunset. You could buy food and drink. I remember one time they lit a fire to throw the corpse on in the late afternoon and he held on and held on and they had to build the fire up again in the evening. It was still glowing at midnight, and people still standing. That was the wheel, of course, you don't see it now. People don't want to read, they don't want speeches. You'll drive them away, and what's the use of a punishment if nobody sees it? What brings a crowd, it's very simple, is agony. I'm not saying they don't appreciate something fine. They like an executioner who's good at his job. They like fine instruments. Nothing upsets a crowd more than hacking. But they like something unusual and they like a man to stay conscious so he doesn't miss it.

PIERRE: There's a good crowd here today.

MINISTER: That's the novelty. They don't want a school, they want a festival.

PIERRE: A festival means riots. People attack the executioner.

MINISTER: And the soldiers shoot them down.

The HEADMASTER *has got the sick child,* LUC, *and made him stand with his arms over his head.*

HEADMASTER: Now control yourself. Stand with your arms up till I tell you.

MINISTER: Listen, my boy. People have vile dreams. The man who dares cut a throat while he's awake is their hero. But then justice dares cut and burn and tear that man's body, far beyond what he did and beyond their dreams. So they worship us. That's why it's a festival.

PIERRE: But I don't want them to be caught up. Their hearts may beat a little faster but all the time they must be thinking.

The music starts again for the approach of the procession – the return of the GUARDS *and the cart.*

MINISTER: While the fire burned and long after it died down there was considerable fornication. Not only among the poor.

PIERRE: Ah look, sir, excuse me, down the hill.

MINISTER: I found my way to a lady who had never been more than civil to me and my hand under her skirt found her ready for hours of ingenuity beyond my dreams. Next day she received me for tea as usual. The people went about their work quite silently.

PIERRE: I want them to look at the illegal act in the perspective of the operation of society and the light of Reason.

The cart comes in with LAFAYETTE, *a murderer. He is already speaking in the cart and continues when he is transferred to the scaffold.* PIERRE *suddenly remembers that the placard must be changed and hurries to do it.*

LAFAYETTE: Lafayette. Look at me. Remember the name. Lafayette. Murderer. Murderer. Want to know what I did? Killed my boss. Killed old daddy Anatole right in his office. He was shouting like he does, know how he shouts. And I was on him, hands round his neck, would he stop shouting, would he hell. So I kept hanging on, didn't I. I'm meant to say sorry for that. Sorry sorry sorry sorry sorry. Do you think I am? I shit on the judges. I shit on my boss. I shit on you. I really did shit on my boss. Do you shit on your boss? You didn't kill him though, did you, I'm the killer. And I'm the one going to die. Want to die instead? You can if you like. I don't want to. You do it. You kill him instead, all right? He goes a horrible colour, wait and see. I'm not sorry, I'm glad. It wasn't easy but I did it. Lafayette did it.

Meanwhile:

PIERRE: This isn't what we arranged he would say.

MINISTER: Just hang him.

PIERRE: I wrote a speech.

MINISTER: Where's the executioner?

PIERRE (*to* LAFAYETTE): Look, you agreed what you were going to say.

LAFAYETTE *strikes him. Instant brawl.* LAFAYETTE *is seized by the* EXECUTIONER *and* GUARDS, *a hood put over his head and a noose round his neck. The* CROWD *throws stones, shouts, climbs on to the scaffold. The* CHILDREN *scatter.* LAFAYETTE *is hoisted up. The* EXECUTIONER *is hit by a stone. The* MINISTER *and* MAGISTRATE *escape from the scaffold.* PIERRE *tries to defend the scaffold and is knocked down, pulling the black cloth with him. The rope hanging* LAFAYETTE *is cut by one of the* CROWD. *He gets down and tries to run but is pulled down by someone else. The scaffold is broken. The* CROWD *has formed into two groups, one beats up* LAFAYETTE *and one beats up the* EXECUTIONER. *The* DIGNITARIES *and* MUSICIANS *are standing aside in a huddle. The* CHILDREN *are watching what is done to* LAFAYETTE *and the* EXECUTIONER. *A line of* SOLDIERS *comes on with fixed bayonets and advances. The* CROWD *scatters and disappears.* LAFAYETTE *and the* EXECUTIONER *are lying on the ground.* LAFAYETTE *sits up, still with the hood and noose on, and collapses again. One of the* MUSICIANS *blows a few wild notes, a* DRUMMER *joins in. One of the* SOLDIERS *turns towards them. Silence. The* SOLDIERS *go. The* MAGISTRATE *and* MINISTER *go. The* CHILDREN *get back into a crocodile and* LUC *lifts his arms again.* PIERRE *gets out from under the black cloth, blood on his face. The* GUARDS *and* MUSICIANS *put the pieces of broken scaffold in the cart, put* LAFAYETTE *and the* EXECUTIONER *on top, and go out. Just* PIERRE *and the* HEADMASTER *and the* CHILDREN *are left.*

What I visualise you see. Is a Garden of Laws. Where, over several acres, with flowering bushes, families would stroll on a Sunday. And there would be displayed every kind of crime and punishment. Different coloured hats. Different coloured posters. Guides to give lectures on civic duty and moral feeling. And people would walk gravely and soberly and reflect. And for the worst crime. Parricide. An iron cage hanging high up in the sky. Symbolic of the rejection by heaven and earth. From anywhere in the city you could look up. And see him hanging there, in the sun, in the snow. Year after year. Quietly take it to heart. A daily lesson.

The HEADMASTER *wipes blood off* PIERRE'*s face.*

HEADMASTER (*to* LUC): You may put your arms down now.

The HEADMASTER *and* CHILDREN *go out.* PIERRE *is left alone. The* MINISTER *and* VIDOCQ *approach from opposite sides.*

MINISTER: The best informer we have is Vidocq. He's a villain but he catches villains. I've a good mind to persuade him to change his way of life and make him Chief of Police.

VIDOCQ: Here comes the minister. He can't do without me. But everyone treats informers like dirt. I've a good mind to persuade him to trust me and make me Chief of Police.

MINISTER: Is that you, Vidocq?

VIDOCQ: What is the real colour of Vidocq's hair? I don't know myself. Grey by now. Do I really wear spectacles? Is this moustache real or stuck on? If it's real, did I grow it as a disguise? Or will it be a disguise when I shave it off? Who have you come to see, sir? And do you see him?

MINISTER: I see someone useful.

VIDOCQ: Always that, sir. I'm twenty men and all of them at your service.

MINISTER: I have a special job for you, Vidocq.

VIDOCQ: I'll be glad to do it, sir, whatever it is.

MINISTER (*aside*): This is going too fast. He'll never accept if I ask him point blank.

VIDOCQ (*aside*): I'm being too eager. He won't believe I'm not tricking him.

MINISTER: We'll talk about it later. You may not be the right person for this particular enterprise.

VIDOCQ: Yes, I'm not that interested in sneaking.

MINISTER: I can manage without your services.

VIDOCQ: I can do without you an all.

MINISTER (*aside*): This is terrible.

VIDOCQ (*aside*): This is terrible.

Sir, I hear you've had a great success in arresting the notorious regicide, Fieschi.

MINISTER: It's not generally known but I don't mind telling you. He was discovered yesterday drunk in an attic.

VIDOCQ: The police don't often have such luck.

MINISTER: It takes skill to catch a man like that.

VIDOCQ: Yes, I'm quite surprised they managed it.

MINISTER: The police force is a force to be reckoned with.

VIDOCQ: I've nothing against the police force as such.

MINISTER: It's not as efficient as it might be.

VIDOCQ: That's exactly what I think myself.

MINISTER: Ah.

PIERRE *approaches*.

PIERRE: Excuse me, sir, did you say Fieschi? Fieschi who tried to murder the king with an infernal machine? That will count as regicide, sir, parricide, even though the king wasn't hurt. Might it not be the occasion, sir, for the use of the iron cage I mentioned to you which would hang above the Garden of Laws and –

MINISTER: Aren't you ashamed?

PIERRE: It didn't go quite according to plan, sir.

MINISTER: I should have told the soldiers to shoot.

PIERRE: Next time –

MINISTER: Next time I will have the prisoners flogged. And ten men taken from the crowd.

PIERRE: If the prepared speeches –

MINISTER: They will all be gagged.

PIERRE: My idea, sir, is that in the park –

MINISTER: Never. Tell him, Vidocq. You were a boy when pain was seen to be necessary. We are dealing with a wild animal and we keep it off us with raw meat and whips. We don't teach it to sit up and beg and feed it sugar lumps. It bit you this morning and I'm glad.

PIERRE: Reason is my goddess.

MINISTER: Reason uses whips. The ministry has no further use for your services.

PIERRE: Thank you, sir.

PIERRE *starts to leave*.

MINISTER: I'd have Fieschi ten days dying but that has all been abolished. But you and I, Vidocq, know what it is to live in fear.

VIDOCQ: Come back here. Not a rich man?

PIERRE: No.

VIDOCQ: Poor but honest?

PIERRE: And not stupid.

VIDOCQ: Idealist? Visionary? Reformer?

PIERRE: It will happen. If not me, someone else.

VIDOCQ: No, never someone else. Me. Me. If you think of a good idea get the credit. My slightest whim I go for like a life's ambition. Here's some money for you.

VIDOCQ *throws a gold coin on the ground*.

All you've got to do is pick it up. But if you don't do it before I count a hundred, I'll shoot you in the leg. I count in ones. The gun is loaded. The coin is real gold. It's not tied to a string. Well?

PIERRE *looks from one to the other and laughs nervously*.

Neither of us will touch you. You have a hundred seconds to pick up the coin. But of course you might get cramp and fall down. There might be an earthquake. Someone else might run up and get the coin first. And then I will shoot you in the leg. Never mind what I'm after.

PIERRE: All right.

VIDOCQ *starts to count*. PIERRE *stands still till ten then walks very slowly and picks up the coin*.

VIDOCQ: Again?

PIERRE: Wouldn't mind.

VIDOCQ: No, this time we're going to do it different. Come here. Hands behind your back. You can have another coin just for asking. But if you do I'll hit you in the face.

PIERRE: No you won't.

VIDOCQ: It's not so bad as being shot in the leg. Want a coin?

PIERRE: No.

VIDOCQ: Real gold.

PIERRE: No.

VIDOCQ: Off you go then. There you are. It's not what the punishment is, sir, it's knowing you're going to get it. You could take a whole year to kill a man and nobody cares because nobody expects to get caught. You can cover the whole town with posters and nobody reads them because nobody expects to get caught. I've never been caught.

PIERRE: I never thought of that.

MINISTER: It's not true. Vidocq has convictions for theft, blackmail –

VIDOCQ: But I never did any of that. It was always a mistake. I happened to look like the man that done it. I was walking past at the time. Somebody had it in for me. I have done some jobs, I will admit, but you couldn't tell me one of them.

MINISTER: You're saying the police make mistakes?

VIDOCQ: Say you divided the country into ten areas, then into ten divisions, ten subdivisions, ten branches, ten sections, where are we getting, ten policemen in each section.

MINISTER: A million policemen?

VIDOCQ: It's not the number so much as the shape. And at the top a strong man.

MINISTER: A strong man at the top.

VIDOCQ: Do you know what a card index is, sir?

MINISTER: Little boxes.

VIDOCQ: With cards in them, with names on, in the order of the alphabet.

MINISTER: A friend of mine is a naturalist and I believe he –

VIDOCQ: You want a box with all the criminals. And another box with all the kinds of crime. You get a blackmail, b, look it up, who's done blackmail before, Vidocq, V, look him up, how he operates, where you find him, you've got me.

MINISTER: You don't want me to get you.

VIDOCQ: No, sir, if you took my advice I'd have to change my way of life.

MINISTER (*aside*): He said he'd have to change his way of life.

VIDOCQ (*aside*): Dare I suggest it now?

MINISTER (*aside*): Is this the moment to make the offer?

VIDOCQ: Of course I am a professional where crime is concerned. I couldn't lead a life completely cut off from it.

MINISTER (*aside*): Is he saying he won't go straight?
I have known you a long time and I know what you are.

VIDOCQ (*aside*): Is he saying he can't ever trust me?

PIERRE: I've had an idea. I think Monsieur Vidocq would make an excellent Chief of Police. I know you both think my ideas never work out.

MINISTER: But you know Monsieur Vidocq would never want to be a policeman.

VIDOCQ: You know the minister would never trust me.

PIERRE: The card index box appeals to Reason.

VIDOCQ: The boy's not stupid, you know.

MINISTER: Not at all. He's one of the brightest in my department.

VIDOCQ: You should listen to what he says.

MINISTER: I value his opinion very highly. I didn't really dismiss him just now.

VIDOCQ *gives* PIERRE *a gold coin.*

VIDOCQ: You can think of this coin as the perfect crime, no trouble, from the days before Vidocq was Chief of Police.

PIERRE (*to the* MINISTER): Sir, about the park –

MINISTER: Chief of Police.

The MINISTER *and* VIDOCQ *embrace.*

Crimes against property is an area of concern. I have land. I have warehouses. In the bad old days the peasants used to take liberties, chop down trees for firewood, that sort of thing, perfectly understandable, the old feudal landlords were monsters. But you can't have that now the land's owned by respectable citizens. You can't have that in warehouses. I lose thousands.

VIDOCQ: Wherever you get a lot of workers, sir, you'll get a lot of bad characters.

MINISTER: I sometimes think you see that if I took one of them as an example and set up a wheel by the factory gate –

VIDOCQ: Not a wheel, sir, a card index box. We'll have the bad characters in a box. You'll see. You can trust the rest. And the police will live so close to that criminal class, take informers from it, know it like itself, so every time someone reaches for a gold coin, wham, he's hit in the face.

MINISTER: I regret the disappearance of the thumbscrew. But that's the nostalgia of an old man.

PIERRE: A golden age. Crime will be eliminated.

VIDOCQ: Not entirely eliminated, no. It is my profession.

MINISTER: Vidocq, can I trust you?

VIDOCQ: I'm going to be famous.

PIERRE *takes out a book and reads.*

PIERRE: The memoirs of Vidocq.

VIDOCQ: Every night a new crime against property. I want to catch the gang redhanded. I get drinking with their leader. I seem to be from the provinces. I seem not to want him to guess I've escaped from prison. I seem to let him get me drunk.

ANTIN *and* VIDOCQ 2, *who looks nothing like* VIDOCQ.

ANTIN: Stick with me and you'll be all right. I'll settle Vidocq one of these days.

VIDOCQ 2: Everyone says that.

ANTIN: Right then, we'll settle him tonight.

VIDOCQ 2: You know where he lives?

ANTIN: Coming?

VIDOCQ: So we wait for me outside my door. But I don't show up all night.

ANTIN: I'll get him tomorrow. Now then, you interested in a job?

VIDOCQ: So we plan a robbery for the next night. And to his surprise the police turn up.

ANTIN: Here, what's this?

VIDOCQ 2: I'm Vidocq.

Tableau of VIDOCQ 2 *arresting* ANTIN.

PIERRE(*reads*): A butcher was robbed and murdered on the road.

VIDOCQ: I get two of them Court and Raoul. The third's a retired customs officer. I go to his village. He's mending a road with thirty other men. If I try to arrest him, they'll kill me.

VIDOCQ 3, *quite different again, and* PONS GERARD. VIDOCQ *embraces* PONS.

VIDOCQ 3: How's the family?

PONS: What? what?

VIDOCQ 3: Have I changed so much?

PONS: I can't quite –

VIDOCQ 3 (*whispers*): Friend of Court and Raoul.

PONS (*for the benefit of the other men*): Ah ah, my dear old friend.

VIDOCQ: So I get him alone.

PONS: Who was it got them?

VIDOCQ 3: Who do you think?

PONS: I'd like to see that Vidocq. What I'd do to him.

PONS *gives* VIDOCQ *a drink.*

VIDOCQ 3: What you'd do to Vidocq is give him a drink.

PONS: Don't make me laugh.

VIDOCQ 3: I'm Vidocq.

Tableau – VIDOCQ 3 *arrests* PONS GERARD.

PIERRE (*reads*): There was cholera in Paris. Three hundred people died every day. Riots broke out. The army was having trouble. It was thought Louis-Philippe might lose his throne.

VIDOCQ: There's a group building a barricade so I go up behind them with a few men in plain clothes. I'm carrying a red flag, which makes it easier to get about. They're looking in front where the soldiers are coming. I take hold of their leader, Colombat. I say, Come along now, I'm Vidocq.

What VIDOCQ *describes is happening.* VIDOCQ 4 *with a red flag arrests* COLOMBAT.

VIDOCQ 4: Come along now, I'm Vidocq.

Tableau – VIDOCQ 4 *arrests* COLOMBAT.

VIDOCQ: We cleared five barricades so the army had freedom of movement. The revolt was suppressed. It was a matter of public order. More than half the people on the street were villains. I've welcomed every kind of government, always hoping for order. Better my way than the army shooting. Which they still did of course. One young man couldn't get the bloodshed out of his mind and subsequently tried to kill the king. I disguised myself as a duchess one day and shook the king's hand.

PIERRE: Speaking of killing the king, sir, the regicide, the one with the infernal machine, sir, I was wondering if we could make a display –

VIDOCQ: Make a display? of a regicide?

MINISTER: The rack? – no.

PIERRE: The iron cage – everyone stares up – amazing spectacle –

VIDOCQ: A regicide? You want to take people's attention off. You don't want to make an example of a regicide, people follow an example. What you want for a spectacle is someone good-looking and a bit out of the ordinary. Lacenaire.

MINISTER: Who's Lacenaire?

VIDOCQ: Second-rate little villain. Bungles half his jobs.

MINISTER: Then what's the point?

PIERRE: I've heard of Lacenaire.

VIDOCQ: He's writing his memoirs. People pass them round on little bits of paper.

PIERRE: That could be a wonderful means of education if he was warning young people against – is he? I suppose not.

VIDOCQ: He's pretty. He writes verses. He'll do.

LACENAIRE *is brought on between two* POLICEMEN.

LACENAIRE (*recites*):
What is life? What is death? What is virtue? What is philosophy?
Science? Honour? Gold? Friendship's not much either.
If there's a God, he only loves himself.
Why are you frightened of death? Ah, nothingness.
Curse me – I laugh. Curse me – I'm firm in my frenzy.
But if I'd believed in goodness I would have been good.

VIDOCQ: Perfect.

LACENAIRE: I didn't commit murder for money, I did it for blood. I decided to become the scourge of society. Father said I would end on the guillotine.

MINISTER: Isn't this dangerous?

VIDOCQ: Marvellous, isn't it, and he's not even good at his job. His famous robberies only got him a few hundred. He makes a noise, he trips over, he faints. He quarrels with all his friends, he betrays them, he blackmails, he gets blackmailed. He doesn't plan. Or he makes plans and tells everyone what he's going to do so it's all over Paris before he's done it. The other villains despise him. He's a complete failure.

LACENAIRE: I can't live out there. I'd rather be in prison with my brothers. There's a society of the rich and a society of the wretched. I identify with the wretched. I too have been rejected. I too seek vengeance. Murder is an example to others. I am an example, a man of good birth, a poetic genius, who has deliberately made himself a murderer. With these hands.

RICH MEN *are arriving for a feast in* LACENAIRE's *cell. They cheer and clap as* LACENAIRE *talks.* LACENAIRE *is sat down, his face wiped, hair combed, drink poured for him, food put before him. The* MINISTER, VIDOCQ, PIERRE *and the* HEADMASTER *are all there. A* PHRENOLOGIST *feels* LACENAIRE's *head and a* WRITER *takes down every word he says.*

RICH MEN:
He's so young.
All he's been through.
Yes but you can see in his eyes.
Never trust eyes like that.
It's the shape of his skull.
No, it's his free will.
His pure self-interest.
I conduct my business like that.

MINISTER: He looks like a success.

VIDOCQ: Do you trust me?

MINISTER: I think I have to.

LACENAIRE: My mother never loved me. That may be the explanation you're looking for. If I'd been born forty years earlier I would have been a hero of the revolution. I would like to pull the city down.

RICH MAN: I pulled down six of my houses yesterday and the tenants ran out like rats.

LACENAIRE: I'll save a fine chair, a painting of Napoleon and a silk scarf, and the rest can go. I don't like ugliness.

ANOTHER RICH MAN: Nor do I, I have nothing in my house but beautiful things.

LACENAIRE: I hate beauty worse.

Applause.

PHRENOLOGIST: The bumps on his head indicate that he is not aggressive. He is rather of a timid disposition.

LACENAIRE: Timid? Timid? With this hand – Yes, of course, go on. Write down every word I say. Feel my bumps. Cut me up when I'm dead. It's still not me. You'll never know. I am a secret.

WRITER: What? What?

ANOTHER RICH MAN: 'You'll never know. I am a secret.'

PIERRE: But he shouldn't be a secret if he's a spectacle.

HEADMASTER: My pupils have no time for secrets.

PIERRE: If Lacenaire had been properly educated he'd feel the right things for people to see. There's something new here, I can't quite –

LACENAIRE: Why do you kill animals?

ANOTHER RICH MAN: Me? I don't think –

LACENAIRE: Don't you eat meat? Don't you hunt? You have designed ways of torturing animals as delicate as your furnishings. And you call me a murderer.

ANOTHER RICH MAN (*to* PIERRE): He killed his kitten by hitting it against the wall and he cried for hours.

LACENAIRE: I have a horror of all suffering. But you only understand if it happens to someone like you. So you murder every day. I have sacrificed myself to prove it. You can't understand love, but you understand fear. I'm going to die tomorrow. And when I die, everything I've ever seen will come to an end. The city will fall. Your chandeliers are down. That's my vengeance.

ANOTHER RICH MAN: Wear this for me tomorrow.

ANOTHER RICH MAN: Wear this for me.

LACENAIRE *spits at him. Laughter and clapping.*

LACENAIRE: I won't wear your jewels because you'll take them off my corpse and say 'Lacenaire wore this for me.' And the glory of my death is not yours.

MINISTER: Half an hour on the rack and he wouldn't talk so much.

VIDOCQ: He couldn't be better if I'd invented him. Lacenaire, do you know who I am?

LACENAIRE: A fat idiot like the rest.

VIDOCQ: Vidocq, Chief of Police.

LACENAIRE: A fat idiot worse than the rest.

Laughter and clapping.

PIERRE: I think you er believe in Reason?

LACENAIRE: I believe in necessity.

PIERRE: Ah. I believe in Reason. I don't think either of us believes in God.

LACENAIRE: Don't try to make friends with me.

PIERRE: No, of course. Sorry.

LACENAIRE: No, I don't believe in God. I tried for a moment yesterday afternoon. My only virtue is sensibility. No one has ever had such a prodigious facility for writing verse. Good verse. And bad verse.

RICH MEN: Recite a poem.
Sing a song.
Oh please.

LACENAIRE: I never like showing my compositions.

RICH MEN: Yes yes.

LACENAIRE: *The Thief Asks the King for a Job.*

SOFTCOPS 17

RICH MEN: This song is banned.
   Oh wonderful.
   LACENAIRE *stands and sings.*
LACENAIRE:
I'm such a thief your Majesty,
I'm such a villain you'll agree
I'd make a great policeman.

I spend cash that's not my own,
Never hear the victim groan –
I'd make a great minister.

I'm cunning, greedy, really bad,
A lot of people think I'm mad –
I'd make a great king.

Laughter, applause, cheers.

I could just as well have written the opposite. I happened to meet some republicans in prison one day, that's all. We've never had liberty yet, not for one day. Is it worth all the blood? And you tell me to respect human life. I'm committing suicide, that's all. A very spectacular suicide with a very big knife. Does anyone dare say I'm not committing suicide?

RICH MEN *sing in imitation of* LACENAIRE.

RICH MEN:
What a brilliant demonstration,
Symbol of his generation –
You'll make a great martyr.

All your friends will thrill to see you,
How we wish that we could be you –

LACENAIRE: Friends? What friends? My friends don't like me. I am their leader to overthrow the world and they won't see it. They're jealous. I miss them.

RICH MEN:
They're just villains and they hate you,
Only we appreciate you –
Murder is Art!

Further shouts from the RICH MEN.

The metaphysics!
Lacenaire, I share your soul!

LACENAIRE: They are gods. And you are little lice on their bodies. Pop. Little specks of blood.

RICH MAN: Lacenaire, I can imagine you robbing me. I'd wake up in the night. Is someone there? I get out of bed my heart beating. Was it a cat? Someone is breathing. I stop breathing. Yes, someone is breathing. I strike a light. It's knocked out of my hand. My arm is forced up behind my back. I'm tied to a chair. My eyes are getting used to the dark. I see you moving about my room. You throw my clothes on the floor. You find my jewels and fill your pockets. You slash the mattress and find the gold. You pull down the velvet curtains and throw them over my head and force them into my mouth, the chair falls over, I'm suffocating inside the curtains. You kick free of them, you're leaving. Lacenaire! You pity me. You pull the curtains off. You pick the chair up and me on it. Oh Lacenaire. You slap my face. The taste of blood in my mouth. You put your knife deep into my chest. Lacenaire, Lacenaire. Let me give you this ring. Put it on your finger. Ah. You would ruin me if you were free.

LACENAIRE *is by now quite passive, lets the ring be put on his finger.*

RICH MEN:
Lacenaire, you would kill me.
You would rape my wife on the table.
You would rape me.
You would rape the little schoolchildren.
You would burn my house, I would run
   through the hall
with my hair on fire screaming Lacenaire,
   Lacenaire.

They are all giving him jewellery and money, embracing him, snatching off his shoe as a souvenir. One of them pulls down his own trousers.

Stand on me, Lacenaire, stand on me.
On me, on me. Stand on me, I'm so rich.
Stand on me, Lacenaire, I'm so boring.

Two of them with their trousers down bend over and the others help LACENAIRE *up. Others take their trousers down or dance on the table, pour drink on their heads, rub cake in each other's faces.* LACENAIRE *stands unsteadily, balanced on two bottoms.*

VIDOCQ: You are the greatest living criminal. And in me you have met your match because I am the greatest living detective. I hear you have written your memoirs. After your death I will have them published.

Cheers.

LACENAIRE: No one else could have caught me, so he's got to be a genius. I'll drink to you, Vidocq.

VIDOCQ: Your health, Lacenaire.

Shouts of 'Vidocq', 'Lacenaire'. VIDOCQ *is in London with his exhibition: large Dutch painting of a battle, quantity of wax fruit, reaping hook, chopper, thumbscrews etc, manacles and chains, weighted boots, braces, a pen, a black box.* VIDOCQ *speaks in a French accent as he is speaking English to the public.*

VIDOCQ: Ladies and gentlemen, here for the first time in London you can see the great exhibition of the great Vidocq, for many years chief of the sureté in Paris, that is the detective force. I have here many marvels for you and also I will astound you by my skill at disguises which made me able to catch so many criminals of Paris. First we have here many paintings, very fine, by Dutch masters, Langendyk, Van der Veldes, and other works of the Italian, Dutch, Flemish and French schools. While you are looking excuse me one moment.

He goes out and simultaneously appears, a different VIDOCQ, *from the other side, ackowledging applause.*

Thank you, thank you. This is how I catch them you see. The next exhibit is a collection perfectly unique of tropical fruits, modelled from wax by a special process now lost so it can never be repeated. See the pineapple, mango, pomegranite, guava, in their natural colours, excuse me –

And as before he instantly reappears, transformed.

Thank you. Very kind. Now here we have many souvenirs of the dark side of Paris life. This reaping hook was an instrument by which a young man killed his mother. This chopper also has been soaked in blood. Here is some very old thing, the thumbscrew, from times not long ago, but also very long ago I am glad to say. Also these chains, chains of the chain gang, of prisoners going to the galleys. Now ladies and gentlemen, regard. These manacles and boots with heavy weights I myself, Vidocq, wore these in my youth. Yes I myself, Vidocq, was led astray and falsely accused when a young man, I had some of the wild spirits of the young, and in spite of these very heavy chains I escaped, as I tell in my memoirs which are on sale here today. I escape and offer my services to my country to work here for the police. Now excuse me while you examine these things.

He reappears as before.

And now ladies and gentlemen we come to the most exciting souvenirs of the exhibition. What have we here? We have the braces, yes the braces that held up the trousers of – Fieschi! the notorious cowardly regicide, who made an attempt on the life of King Louis Philippe with an infernal machine. And here we have a pen. Just a pen? What a pen! It is the pen with which in his prison cell, under sentence of death for a foul murder, that most celebrated criminal Lacenaire, the poet-murderer Lacenaire, wrote his memoirs. With this very pen. And now ladies and gentlemen, I beg you not to tell anyone when you leave this place what I am going to show you now. Yes, it would bring more people here. But it would spoil the surprise for them. Surprise? No, the shock. Tell your friends there is something very special, very horrible, very unique, they must come themselves to see what it is. Ladies and gentlemen –

VIDOCQ *opens the black box and takes from it a black velvet cushion with an embalmed hand on it.*

– the hand that held the pen. The hand that held the knife. The hand of Lacenaire! The hand of a man put to death on the guillotine of France! The hand of glory! Thank you, thank you.

PIERRE: Lacenaire should have been in the centre of the garden. And overhead in a cage I would have put Fieschi, who tried to kill His Majesty. It would have had such educational value. And now everyone's in the street watching Lacenaire, not knowing what to think of him because nobody's telling them, all dancing and screaming, complete confusion. What I love in people is their reason, but they will leap about. I've decided to be a teacher. I despair of my Garden of Laws. It will never happen. I see it so clearly but I'll never walk down those paths and see among the flowers all those little theatres of punishment. I must give it up.

HEADMASTER: You'll make an excellent teacher.

PIERRE: Vidocq is bringing some order into crime. He knows who the criminals are and he will catch them. But then what? What do you do with them? If you don't use their bodies to demonstrate the power of the law – Never mind. Let someone else solve it. Show me your class.

The HEADMASTER *rings a bell.* SCHOOLCHILDREN *run to their benches. Some of them are wearing harnesses to correct their posture.*

HEADMASTER: Enter

CHILDREN *put one leg over bench.*

your benches.

CHILDREN *put second leg over and sit down.*

Take

CHILDREN *put one hand to their slates.*

your slates.

CHILDREN *take the slates.*

The HEADMASTER *has a wooden clapper with which he signals instructions to the* CHILDREN. *He gives a book to a* CHILD, *signals once, and the* CHILD *starts to read in Latin. The* CHILD *makes a mistake, the* HEADMASTER *signals twice. The* CHILD *goes back, makes the same mistake, the* HEADMASTER *signals twice. The* CHILD *goes back, makes the same mistake, the* HEADMASTER *signals three times. The* CHILD *goes back to the beginning of the passage. Soon the* HEADMASTER *signals for the* CHILD *to stop, one signal. He makes a gesture and signals once. The* CHILDREN *start writing.*

HEADMASTER: The very good, the good, the mediocre, the bad. Four classes. Different badges of different colours. A completely separate group, the shameful, who can join the others when they deserve to. Children can be promoted or demoted so all are under equal pressure to behave well. Everyone has a place on the benches according to how they are classified.

The HEADMASTER *moves among the* CHILDREN, *correcting their positions while they write.*

The body turned slightly to the left. The left foot slightly forward of the right. The distance of the right arm from the body should be two fingers. The thumb should be parallel to the table. The forefinger –

Distant outcry of CROWD.

LUC: Lacenaire!

The CHILDREN *all stop writing. The* HEADMASTER *looks at* LUC. LUC *steps out of his place. The* HEADMASTER *signals once. The* CHILDREN *write.*

PIERRE: Lacenaire should have been in my garden. And Fieschi, who was put to death yesterday before dawn, nobody even came, what a waste. You have heard of him? He –

HEADMASTER: Ugly little fellow like hundreds of others, suddenly gets it into his head to kill the king. Shameful behaviour. Better not to think about it and it disappears. But Lacenaire carries himself well, he has a gift. Not a great poet, but a definite gift. I write occasional hexameters myself. We don't want to do what he did, of course, but boys have a hero for a day. But it doesn't mean you can shout out in class.

The HEADMASTER *canes* LUC *on the hand.* LUC *goes back to his place.*

I rarely have to raise my voice. I rarely have to speak. Two fingers remember. Don't let the forefinger slip down the page.

PIERRE: I see now. They've kept Fieschi a secret because he's dangerous and made a circus out of Lacenaire. Things are changing and I'm not part of them. There must be a new idea I haven't thought of.

The HEADMASTER *corrects the* CHILDREN *while they write.* PIERRE *also walks up and down among the* CHILDREN. *He stops by one in harness.*

PIERRE: Is this a punishment?

HEADMASTER: Good heavens no, it helps his back grow straight. And this boy, you see, was inclined to poke his chin. They will all be normal in time.

PIERRE: Yes of course. I saw it in my garden.

HEADMASTER: You have to know what

you want from them every moment of the day.

The distant cry again. LUC *jerks but controls himself. Everyone stops writing for a split second then continues.*

I use the cane very rarely now I have perfected the timetable.

HEADMASTER: I enjoy my work. I see the results of it. Their bodies can be helped by harnesses. And their minds are fastened every moment of the day to a fine rigid frame.

PIERRE: If I could fasten the prisoner to a frame. Without over-exciting the public. If I could fasten the public to a frame.

Several PRISONERS *stand together with iron collars round their necks, joined by a chain to a central chain. The last prisoner, a* BOY, *is dragged screaming by a* WARDER *to where another* WARDER *is waiting with a hammer and anvil to put on his collar.* PIERRE *watches with interest.*

BOY: No no no. I'd rather die. Do anything with me but don't put me in the chain gang.

PIERRE: You'd rather die? That's very interesting. Could you tell me why?

BOY: Sir, kind sir, help me, I'm innocent. Don't let them put me in the chain gang. I never done it. No no no.

PIERRE: Does death seem more glorious?

WARDER: Excuse me, sir, we have got a job to do here.

PIERRE: Of course, I'm sorry, don't let me get in the way.

BOY: No no no! Not the chain! No!

PIERRE: Is it the degradation? Are you upset by the prospect of being a spectacle? You will cross the whole country with people jeering at you, is that the problem?

2ND WARDER: Get the bastard over here, will you.

He comes to help.

PIERRE: I understand there is considerable sexual abuse of younger prisoners. Is that something that disgusts you? Would solitary confinement –

BOY: Not the chain, help, I never done it, no. I don't want to go in the chain gang. No no no no no no no.

The BOY *is firmly seized and held down.*

WARDER: Lowest of the low, sir, that's what it is. You can't get no lower than the chain gang.

2ND WARDER: If you don't keep still I might miss.

BOY: No no no.

2ND WARDER: Now.

BOY *is suddenly absolutely silent and still.* 2ND WARDER *bangs the collar shut.* BOY *gets up and totters to the others.*

WARDER: There you are, lads. That's the lot.

PIERRE: So would you say this is the worst punishment we have in terms of deterrent effect on the prisoners and also on the public who see them pass? Who wouldn't weep to see them. The man will put back his master's hen, the child will put back the biscuit. The crowd gazes in silent awe. They turn back thankful to their honest toil. So would you agree their journey across France is a national education? And could be reinforced with placards and lectures? Perhaps I should travel with the chain gang and give a seminar in every village.

A sudden outburst. The WARDERS *are leaving and the* CHAIN GANG *are alone, they embrace, cheer, laugh, stamp, swear. The* BOY *laughs and cheers loudest of all.*

BOY: Free free free.

PIERRE: I beg your pardon.

WARDER: Not what I'd call an education, sir. I should stand further over here if I was you. No, it teaches bad men how to be worse and it teaches them pride in it.

PIERRE: But what does it teach the crowd who sees them?

WARDER: Teaches the crowd to riot.

PIERRE: Oh dear.

WARDER: Teaches hate of the rich. Scorn of the obedient. Defiance of fate.

PIERRE: Oh but surely –

WARDER: Whole country's in an uproar, sir, when the chain gang's gone through.

PIERRE: That's because there are no placards.

WARDER: Lowest of the low, the chain. Don't have to behave. Not like you and me with jobs to lose.

PIERRE: You don't envy them, surely?

WARDER: Want to try it, sir? You might enjoy it. I've got a spare collar here.

PIERRE: Well, no, ha ha.

WARDER: I shouldn't stand there, sir, if I was you.

The CHAIN GANG *have taken from their pockets ribbons, plaited straws and flowers, and are decorating themselves and each other.* PIERRE *approaches them.*

PIERRE: Excuse me. Now you have your chains on, are they very heavy?

BOY: Out of my way, shitface.

PIERRE: Do you feel your guilt brought home to you? No of course, you're the poor wretch who's innocent.

BOY: Course I'm not fucking innocent. What you take me for? I done a murder they never found out. I done two. I done six. I done a landlord! I done a banker! I done a policeman!

Cheers from the CHAIN GANG. *They start to stamp, dance and sing. The* WARDERS *go.*

WARDER: I shouldn't stay here, sir, if I was you.

The CHAIN GANG *stamp and dance round singing to the tune of 'The Marseillaise'.*

CHAIN GANG:
What do these people want with us,
Do they think they'll see us cry?
We rejoice in what is done to us
And our judges will die.

PIERRE *hesitates, then approaches them again.*

PIERRE: Supposing I was to write a placard, would you wear it round your neck?

He is caught in the circle, tripped and dragged, disappearing among them as they rush on, singing.

CHAIN GANG:
Pleasure has betrayed you,
She loves us instead.
She'd rather dance along the street
Than die with you in bed.
Pleasure is in chains,
She loves to share our pains,
She follows where the song goes,
Chains chains chains.

Your scorn, your hate, your fear,
All belongs to us.
Your gold you hold so dear
All belongs to us.
We've bought it with our lives,
We'll give it to your wives
   for a kiss
   for a fuck.
When we're free when we're free
Who would you rather be
   you or us?
   Try your luck.
   You or us.
   Try your luck.

Far from home, far from home,
Sometimes we moan and groan and moan.
Look in our eyes, what a surprise,
The black judge dies when he sees our eyes.

Children bear your chains,
They're beating on a drum,
They're blowing on a trumpet
When they see us come.

Children bear your chains,
It's not for very long.
The king and queen will carry them
When they hear our song.

Children break your chains,
They're beating on a drum.
Our star is shining in the sky
And our day will come.

Children break your chains
Beating on a drum
Children break their laws
Our day will come.

Children break your chains
Children break your chains
Children break your chains

The CHAIN GANG *rush off.* PIERRE *is left, battered.*

An OLD MAN *approaches. It is* JEREMY BENTHAM.

BENTHAM: You seem to be suffering, my boy.

PIERRE: Never mind, sir, it's only me. Greatest happiness of the greatest number, sir.

BENTHAM: That's all right then.

The HEADMASTER *and* CHILDREN *go.* PIERRE *sees an* OLD MAN *approach. It is* JEREMY BENTHAM. PIERRE *accosts him excitedly.*

Mr Bentham, I know you have advocated solemn executions with black clothing and religious music, and that is why I presume to intrude on your time. I have a small demonstration.

BENTHAM: The death penalty should be abolished.

PIERRE: There's no question of death here. It would take place in a garden. An English garden would be ideal, with roses.

BENTHAM: Roses last from early summer right into the winter. They provide a considerable pleasure of long duration. An act of sexual intercourse is a hundred times more intense a pleasure than the smell of a rose. But the roses last many hundred times longer. So multiplying the degree of pleasure by the duration, the ratio of the pleasure of roses to that of sex is approximately 500 to 1, a comfort to us in our old age.

PIERRE *meanwhile wheels on a stand covered with a black curtain.*

PIERRE: Sir, I too would like to live according to reason and mathematics. If you could support my scheme my garden might become a reality. May I show you?

PIERRE *pulls aside the black curtain. Inside there is a* MAN *on the rack. Posters.*

BENTHAM: I hope this has not been arranged for me.

PIERRE: There's little to see in France now except the chain gang and that seems to cause riots. I've had to accept that what my garden lacks is the ancient extreme punishments. Here you have the shock and at the same time the reasonable explanation of how the crime came about and how to resist any such tendencies in one's own life.

BENTHAM: But this sight is not giving us a pleasure greater than the man's suffering. I've seen enough. Release the man at once.

PIERRE: I must devise punishments that will continue to be a novelty and a real attraction to the public.

BENTHAM: Stop stop. It goes on and on.

PIERRE: That's the perfection. It can go on all day and every day. Don't worry, Mr Bentham, come closer. He doesn't feel a thing. Can you see now? The wheels turn but he is not stretched. It's an optical illusion.

BENTHAM: He's not suffering?

PIERRE: That's my new discovery. There's no need for him to suffer. What matters is that he's seen to suffer. That's what will deter people from crime.

BENTHAM (*to the* MAN *on the rack*): Are you all right?

MAN: I wouldn't mind a cup of tea.

PIERRE: You can get down now, thank you.

PIERRE *gives the* MAN *some money and he goes.*

BENTHAM: Well I'm most relieved. You must want your garden very much. I spent years on a scheme of my own. Talking to architects, looking at land. I spent thousands of pounds of my own money. My brother thought of it first in Russia to supervise the workers in the dockyards. It's an iron cage, glazed, a glass lantern –

PIERRE: An iron cage?

BENTHAM: A central tower. The workers are not naturally obedient or industrious. But they became so.

PIERRE: The workers gaze up at the iron cage?

BENTHAM: No no, your idea has to be reversed. Let me show you. Imagine for once that you're the prisoner. This is your cell, you can't leave it. This is the central tower and I'm the guard. I'll watch whatever you do day and night.

PIERRE: I just have to sit here?

BENTHAM: Of course in Russia they were doing work.

BENTHAM *goes behind the curtain, which is the central tower.* PIERRE *goes on sitting. Time goes by. He fidgets.*

PIERRE: Mr Bentham?
Am I doing it properly? Do you want me to draw some conclusions? It's not comfortable being watched when you can't see the person watching you. You can see all of us prisoners and we can't see each other. We can't communicate by tapping on the walls because you're watching us. Is that right? Mr Bentham? I understand how it works. Can I get up now?

BENTHAM *comes out of the back of the stand unseen by* PIERRE. *He creeps round so that he's behind him while he talks.* BENTHAM *giggles silently.*

The prisoners can't get strength from each other, is that what you want me to observe?
  The darkness of a dungeon is some protection, to be always in the light is pitiless.
  I begin to feel you must know what I'm like. I find it quite hard to sit still, I'm energetic by nature, I feel quite nervous. You get to know each prisoner and you can compare him with the others. But I don't know how the others are behaving. You know everything that's going on and I don't know at all.
  I think it's most ingenious, Mr Bentham, an excellent means of control. Without chains, without pain. Can I get up now?
  Really, Mr Bentham, I think I have appreciated your idea. Am I supposed to sit here all afternoon?
  I'm getting a little bored. I must admit I'd wander off and look at the roses if you weren't keeping an eye on me because I really think I've got everything out of this I can and it's wasting my time to keep me sitting here. Instead of thousands of people watching one prisoner, one person can watch thousands of prisoners. I've always wanted to affect the spectators. You're affecting the person who is seen. This is a complete reversal for me. I think I've learnt everything, Mr Bentham. Is there anything else?

BENTHAM: That you don't need to be watched all the time. What matters is that you think you're watched. The guards can come and go. It is, like your display, an optical illusion.

BENTHAM *goes.*

PIERRE: It's hard to give up my garden. I do have a weakness for a spectacle. But this way is far more reasonable. It's nothing like a theatre. More like a machine. It's a form of power like the steam engine. I just have to apply it. The transport of convicts. Instead of a chain gang a wagon, covered over, separate compartment for each convict, hatch for the warder to watch, he can see them and hear every word but they can't see or hear each other.

While PIERRE *is speaking the* MINISTER *arrives.* PIERRE, *who has been thinking to himself with increasing excitement, seizes on the* MINISTER *and explains it to him.*

The convict sits on a zinc and oak funnel that empties into the public way, the compartment is lined with iron, two warders each armed with a small oak club studded with thick nails of cracked diamond, paint on the outside the words 'Transport of Convicts'. Far more edifying than the chain gang and causes no disturbances. And the prisoners lose all their over-excitement. They emerge at the end of the journey astonishingly calm.

Meanwhile BOYS *in bleached uniforms walk in in single file and line up silently. A* NEW BOY *arrives, is stripped, washed, dressed in uniform.* PIERRE *looks on. The* MINISTER *arrives.*

MINISTER: Where are the placards?

PIERRE: Here we have a model reformatory, sir, modern educational methods, the application of Mr Bentham's panopticon –

MINISTER: Don't you hang notices round their necks?

PIERRE: No sir, it's an entirely new –

MINISTER: I was beginning to like the placards.

PIERRE: No sir, you'll find this –

MINISTER: Well I hope they don't knock you down. There's always flogging.

An OLDER BOY *brings the* BOY *to* PIERRE.

PIERRE: You have been sent here because you don't sleep at home.

BOY: I stay awake.

PIERRE: You're a vagabond.

BOY: You're not.

PIERRE: What's your station in life?

BOY: I'm an army officer, forty-two years old.

PIERRE: You're not more than fourteen.

BOY: Write it down.

PIERRE: You will work here. A reformatory is not a prison. There are workshops and there are fields. You have no father?

BOY: My father's got no son.

PIERRE: Nor mother either?

BOY: I'm a miracle.

PIERRE: Here you will live in a group called a family. The other boys are your brothers. Each family has a head, whom you will obey, and is divided into two sections, each with a second in command. You will have a number. You will answer to it at roll call three times a day. Your number is 321. This is your elder brother. He will stay with you all the time. And I will pay constant attention to your case.

MINISTER: Not one of you will be torn apart by horses. And I hope you're grateful. (*To* PIERRE:) You may be on to something this time, my boy. Congratulations.

The MINISTER *and* PIERRE *go off.*

BOY: Do they beat you?

BROTHER: Not any more. If you do wrong they put you in a cell by yourself. And on the wall there's big black letters, God sees You.

BOY: That's all right. I don't believe in God.

BROTHER: You will though.

BOY: Don't mind what they do if they don't beat me.

BROTHER: We preferred the beatings. But the cell is better for us.

BOY: What sort of thing gets you into trouble?

BROTHER: Speaking when you shouldn't. Walking out of step. Looking up when you should look down.

BOY: But what about stealing? And swearing? And hitting someone in the stomach? And setting fire?

BROTHER: There's no time.

BOY: I do what I like.

BROTHER: But we like to do what we ought.

BOY: I don't.

The line walks round once in single file. The BOY *at the back steps backward leaving a space. The* BROTHER *puts the* BOY *in the space.*

BROTHER: This is your place. We're going to the courtyard now and the monitor inspects our clothes. Then we go to where we sleep. At the first drumroll you get undressed and stand by your hammock. At the second drumroll all the boys on the left on a count of one two three get into their hammocks and lie down. It's quite easy. Then the boys on the right do it. Then we go to sleep. You go to sleep lying on your back with your hands outside the cover. You always go to sleep straight away because you've been working hard all day and then there's military exercises and gymnastics. We'll teach you. You can't talk now.

The BROTHER *takes his place at the head of the line.*

BOY: What if you stay awake?

BROTHER: You don't.

BOY: What if you do?

BROTHER: If you stay awake, don't open your eyes.

The line starts to walk off. The BOY *steps out of his place and watches them. They stop, still leaving his space. They turn and look at him. Suddenly he runs and gets into place, gets into step as they go out.*

The stage is empty. Two CONSPIRATORS *enter.*

CONSPIRATOR A: There's one way that can't fail.

CONSPIRATOR B: What's that?

CONSPIRATOR A: Throw myself under the horses' hooves with the bomb. Either it explodes straight off, or anyway the horses shy and there's a delay and at that moment you go into action with the second bomb, so either way the whole thing goes up.

CONSPIRATOR B: Either way you go up.

CONSPIRATOR A: It can't fail.

CONSPIRATOR B: You'd go that far?

CONSPIRATOR A: Wouldn't you?

CONSPIRATOR B: We can't afford to lose you. Too many of us are dead already.

CONSPIRATOR A: Someone's betraying us, that's why.

CONSPIRATOR B: Yes, someone's playing a double game.

CONSPIRATOR A: It's hard to think one of your friends is a spy.

CONSPIRATOR B: It's impossible. Everyone would give his life.

CONSPIRATOR A: So everyone's equally under suspicion.

CONSPIRATOR B: Even me. Even you.

CONSPIRATOR A: Do you ever feel you can't go on?

CONSPIRATOR B: You stop sleeping.

CONSPIRATOR A: My stomach's water, my eyes itch. I'll be glad when it's over.

CONSPIRATOR B: When you throw the bomb?

CONSPIRATOR A: That or . . .

CONSPIRATOR B: What? What?

CONSPIRATOR A: I sometimes think there's more spies than conspirators. Who plans the assassinations, us or them? Do we only murder so they can arrest us?

CONSPIRATOR B: Listen, listen, what you've always said. However far control goes, subversion –

CONSPIRATOR A: We think we're subversive. They allow us.

CONSPIRATOR B: They kill one of us, two more –

CONSPIRATOR A: Do you believe it?

CONSPIRATOR B: It's what you've always said.

CONSPIRATOR A: I don't know.

CONSPIRATOR B: You're overtired. Let's get some coffee.

CONSPIRATOR A: It's me.

CONSPIRATOR B: What is? What?

CONSPIRATOR A: I can't go on. I'm the spy.

CONSPIRATOR B: Not you.

CONSPIRATOR A: Everyone's under suspicion.

CONSPIRATOR B: But not you. Not really you.

CONSPIRATOR A: Yes.

CONSPIRATOR B: Always?

CONSPIRATOR A: Yes.

CONSPIRATOR B: When you recruited me?

CONSPIRATOR A: Yes.

CONSPIRATOR B: When you assassinated the duke?

CONSPIRATOR A: Yes.

CONSPIRATOR B: But you're the one we all depend on.

CONSPIRATOR A: Yes.

CONSPIRATOR B: I was just an ordinary villain. You explained. You said I could be a hero. And now what? What? All along? A spy all along? Michel's death? And Marc, not Marc? And Louis arrested last week, all you? But I'll tell the others. We'll kill you. Why did you tell me?

CONSPIRATOR A: I was tired.

CONSPIRATOR B: We'll kill you.

CONSPIRATOR A: You won't tell the others. I feel better now. Everyone has moments of weakness.

CONSPIRATOR B: Of course I'll tell. I can't protect you.

CONSPIRATOR A: I'm sorry I told you but it means I have to kill you.

CONSPIRATOR B: It doesn't.

CONSPIRATOR A: Yes.

CONSPIRATOR B: I won't tell.

CONSPIRATOR A: Sorry.

CONSPIRATOR B: Wait.

CONSPIRATOR A: Yes?

CONSPIRATOR B: Wait.

CONSPIRATOR A: Hurry.

CONSPIRATOR B: You'll laugh.

CONSPIRATOR A: What?

CONSPIRATOR B: You'll laugh. It's all right, old friend, it's all right. The police are as full of secrets as we are. To think I never knew. And you never knew.

CONSPIRATOR A: What?

CONSPIRATOR B: It's me too. I'm a police spy too. So you needn't kill me, all right? We just have to go on keeping each other's secret and doing our job. My dear old friend. I thought Michel and Marc and Louis were all my own work, and all the time it was you too. It is tiring, isn't it, the double life, twice as exhausting. What a relief to know. We'll never say another word about it, but we have each other now. We were always comrades, I always loved you, and how much more comrades now. How I love you now. Truth at last.

CONSPIRATOR A: But I was lying, you see.

CONSPIRATOR B: What?

CONSPIRATOR A: I'm not a spy.

CONSPIRATOR B: What?

CONSPIRATOR A: You are.

CONSPIRATOR B: What?

CONSPIRATOR A: Sorry.

CONSPIRATOR B: What?

Other CONSPIRATORS *appear and B is killed.*
   A beach. A group of MEN *are paddling in the sea, their trousers rolled up round their knees.* PIERRE *is sitting on the sand reading some files. He has a handkerchief on his head and is drinking a bottle of wine. The* MEN *in the sea chat and play.*

MEN: It's cold.
   No it's not cold.
   Mind the crab
   Ooh where?
   Don't splash.
   Is that a jellyfish?

A HOLIDAYMAKER *approaches, carrying a book.*

HOLIDAYMAKER: Lovely day.

PIERRE: Lovely.

HOLIDAYMAKER: They're having fun.

PIERRE: Oh yes, they're good lads.

HOLIDAYMAKER: Nice picnic.

PIERRE: Care to join me?

HOLIDAYMAKER: Oh I didn't mean – well thank you very much.

He sits with PIERRE *and shares the wine.* PIERRE *is already slightly drunk and gets more so.*

Workers from the factory are they, having an outing?

PIERRE: I do bring workers to the seaside, yes. I also bring convicts.

HOLIDAYMAKER: Convicts are they? Now I come to look at them they have got sinister faces. You don't want to get convicts mixed up with ordinary people on a beach. I'm a respectable working man.

PIERRE: I do bring convicts, as part of their rehabilitation you see, and I also bring patients from the hospital.

HOLIDAYMAKER: Oh patients are they? Salt water do them good. Nothing contagious of course. More convalescent?

PIERRE: I do bring physically ill patients to the beach but I also bring mentally disturbed –

HOLIDAYMAKER: Oh, mental cases. That accounts for it. Very well behaved I must say for loonies.

PIERRE: I do bring –

HOLIDAYMAKER: Quite safe I suppose?

PIERRE: I know them all by name. I've turned a mob into individuals.

HOLIDAYMAKER: Come when they're called do they?

PIERRE: It's nice for them to have a day off out of the workshop. Don't worry, I keep an eye on them.

HOLIDAYMAKER: That's the thing. Keep an eye on them.

PIERRE: Very interesting cases some of them.

HOLIDAYMAKER: I like a good story.

PIERRE: That one over there with a long nose and close-set eyes.

HOLIDAYMAKER: Close-set eyes is a sure sign. And if your eyebrows meet.

PIERRE: He stirred up trouble at his place of work. Something about an association of workers. He resisted the police to such an extent the army had to be called in. Extremely violent criminal type, psychopath, paranoid fantasies, unhappy childhood, alcoholic father, inadequate mother –

HOLIDAYMAKER: Ah, that's often the way.

PIERRE: Extremely disorganised personality, with high blood pressure and low intelligence, a weak heart, anarchist literature, abnormal sexual proclivities, and cold feet due to inadequate circulation.

HOLIDAYMAKER: Responding to treatment is he?

PIERRE: Cries a good deal. Unemployable.

HOLIDAYMAKER: You must be a great comfort.

PIERRE: I do my best to understand him.

HOLIDAYMAKER (*shows his book*): I'm fascinated by criminal literature. Ever read Arsène Lupin? High-class burglar in white gloves and a detective who's always after him. Takes your mind off things.

PIERRE: I used to want a garden you see.

HOLIDAYMAKER: I've got a small garden.

PIERRE: Flowering bushes. Where families would stroll on a Sunday. Iron cages high in the sky.

HOLIDAYMAKER: I like a garden.

PIERRE: Instead I've got a city. Whole city. All on the great panoptic principle.

One of the MEN *suddenly gives a cry and leaps to attack* PIERRE. *Before he reaches him there is a shot and the* MAN *falls.* PIERRE *jumps at the sound of the shot but is otherwise unperturbed. The other* MEN *stand frozen. Two* GUARDS *come and carry the dead* MAN *off.*

HOLIDAYMAKER: Good heavens!

PIERRE: Poor fellow. There's always a few. Fascinating case, I'm sorry to lose him. Never very happy.

HOLIDAYMAKER: Good heavens! Well. Was that a guard I suppose was it? Armed guard?

PIERRE: Very rarely necessary. I regard it as a failure.

HOLIDAYMAKER: Stands by does he, in case of trouble?

PIERRE *goes over to the* MEN, *who are still standing still.*

PIERRE: I'm sorry about that. Very inconsiderate of Legrand to spoil the afternoon for the rest of us. Did it startle you? It startled me. This is not what I – This is not what you – Isn't the sea pretty today? We've still another thirty-five minutes to enjoy ourselves.

The MEN *start to paddle and splash again.* PIERRE *slowly goes back and sits down with the* HOLIDAYMAKER.

HOLIDAYMAKER: Nasty shock for you.

PIERRE: I don't like loud noises.

HOLIDAYMAKER: Still it is a comfort to have that kind of protection.

PIERRE: I think so. Yes, I think so. Ultimately of course I hope – I'd like to see – well afternoons like this are so inspiring. Afternoons like this one was. The guard is inclined to over-react, he's only young. I must speak to the minister.

The HOLIDAYMAKER *takes a hipflask from his pocket.*

HOLIDAYMAKER: Here.

PIERRE *drinks. The* HOLIDAYMAKER *drinks. They sit in silence. The* HOLIDAYMAKER *passes the flask again.*

PIERRE: Mustn't have too much.

HOLIDAYMAKER: Bit of a shock.

PIERRE: Yes, but I –

PIERRE *takes the flask and drinks.*

PIERRE: The trouble is I have to make a speech. Later on. In front of the minister. He's going to lay the foundation stone. I'm always a little nervous at these official – I shall just explain quite simply how the criminals are punished, the sick are cured, the workers are supervised, the ignorant are educated, the unemployed are registered, the insane are normalised,

the criminals – No, wait a minute. The
criminals are supervised. The insane are
cured. The sick are normalised. The
workers are registered. The unemployed
are educated. The ignorant are punished.
No. I'll need to rehearse this a little. The
ignorant are normalised. Right. The sick
are punished. The insane are educated.
The workers are cured. The criminals are
cured. The unemployed are punished.
The criminals are normalised. Something
along those lines.

HOLIDAYMAKER: Lovely day out for
them. Nice treat.

PIERRE *and the* HOLIDAYMAKER
drink. The MEN *look at* PIERRE.